Técnicas

Giorgio Di Mola

# TÉCNICAS PARA DORMIR BIEN

EDITORIAL DE VECCHI

A pesar de haber puesto el máximo cuidado en la redacción de esta obra, el autor o el editor no pueden en modo alguno responsabilizarse por las informaciones (fórmulas, recetas, técnicas, etc.) vertidas en el texto. Se aconseja, en el caso de problemas específicos —a menudo únicos— de cada lector en particular, que se consulte con una persona cualificada para obtener las informaciones más completas, más exactas y lo más actualizadas posible. EDITORIAL DE VECCHI, S. A. U.

*Fotografía de la cubierta de Firo-Foto.*

© Editorial De Vecchi, S. A. U. 2005
Balmes, 114. 08008 BARCELONA
Depósito Legal: B. 5.412-2005
ISBN: 84-315-3148-7

# SUMARIO

# INTRODUCCIÓN

La puesta del sol, el gradual descenso de la luz, las tinieblas sólo en parte atenuadas por la claridad de los astros o de las luces que se encienden en las casas son cada noche para millones de personas el preludio de las horas del sueño. Es sencillo calcular que, aproximadamente, un tercio de nuestra existencia la dedicamos al sueño, de una forma u otra, lo que significa, si se considera que el promedio de vida del ser humano es de 65 años, que un período de tiempo, por lo menos de veinte años, corresponde al sueño, al sueño y a dormir profundamente.

Se puede por lo tanto intuir la gran importancia que tiene el dormir en la existencia de todos los seres y que el hecho de abandonar durante tantas horas del día la conciencia y, en parte, algunos recursos físicos puede constituir, pese a su aparente «naturalidad», un fenómeno no exento de singulares aspectos.

El sueño siempre ha sido considerado un fenómeno inquietante por su origen, sus causas y sus incontrolables aspectos.

Sólo en fechas muy recientes fisiólogos, psicólogos y otros investigadores han logrado dar una parcial explicación a algunos de los componentes y funciones del sueño, comunes a todos los seres vivientes (incluidos los vegetales), tales como unos particulares ritmos de reposo y actividad.

Pero en la vida cotidiana el sueño no es igual para todos y, por lo tanto, no todos estarán de acuerdo con cuanto hasta aquí hemos afirmado: en efecto, existen personas para quienes el dormir, reposar y sumergirse en un profundo sueño puede decirse que no constituye ningún problema; hay otras en cambio para las que el dormir o simplemente, lograr descansar representa un drama diario, a veces tan importante que requiere la intervención de médicos, psicólogos u otros especialistas.

¿Por qué existen tan importantes diferencias? ¿Por qué a veces es tan difícil conciliar un buen sueño? ¿Por qué y qué importancia tiene el soñar? ¿Cuáles son los procedimientos menos perjudiciales y más naturales para poder dormir? El objetivo de mantener a cualquier precio, un buen estado psíquico y físico, es para el hombre moderno algo elemental e irrenunciable. Si tanto es el tiempo que nos roba el sueño pero su inexistencia parece que no nos permita recuperar nuestras energías, ¿qué podemos hacer?

A estas y a otras preguntas se intentará dar respuesta con informaciones, consejos y nociones prácticas de comportamiento para resolver un problema, el del insomnio, que continúa afectando a millones de personas en todo el mundo.

# Qué es el sueño

La respuesta a la pregunta «qué es el sueño» es, todavía hoy una difícil empresa que desde hace muchos años ocupa a los investigadores de fisiología en los laboratorios experimentales de todo el mundo. ¿Por qué resulta tan complicado comprender la naturaleza del sueño? Intentaremos explicarlo en términos muy sencillos en este capítulo, basándonos en historias y leyendas que nos han sido transmitidas desde la antigüedad. Aprender a conocer en lo posible los mecanismos que originan y regulan este fenómeno de nuestra vida no es sólo un hecho cultural o de simple curiosidad sino, como intentaremos explicar, también un instrumento de gran utilidad para aquellos que tienen pendiente un «arreglo de cuentas» con Morfeo.

## Quién era Morfeo

Con frecuencia habrá usted oído la expresión de «caer en brazos de Morfeo» o bien la de «recibir el abrazo de Morfeo» y, quizá, se haya preguntado quién era ese señor cuyo nombre va ligado a un sueño satisfactorio. El origen de la creencia que ha hecho de Morfeo la divinidad del sueño se ha de buscar en un mito antiquísimo. Lo explicaremos brevemente porque, como expondremos a continuación, es posible que a través de los mitos y las leyendas logren encontrar su explicación muchos fenómenos psíquicos.

La tradición nos ha transmitido, a través de algunas obras

literarias y poéticas (sobre todo de la antigua Grecia) los personajes y las divinidades aptas para representar algunos de los fenómenos de la naturaleza. Así sabemos a través del poeta Hesíodo, que en las profundidades del Caos tuvieron su origen los más lejanos antecesores de Morfeo (hoy diríamos los abuelos); la Noche y el Erebo. La noche se enamoró del Erebo, divinidad de las profundidades de la tierra, donde tienen su morada los difuntos, pero que también significa, en muchas ocasiones, la oscuridad.

De su feliz unión nacieron el Día, el Cielo y dos gemelos: Hipnos, el sueño, y Thanatos, la muerte. E inmediatamente abriremos un pequeño paréntesis para señalar que de este mito surgió una doble concepción de la noche: por una parte es considerada como una circunstancia agradable que aúna el sueño con el reposo y por la otra como progenitora de otras tantas «criaturas» que personifican diversos conceptos morales, destinados a despertar el terror de los hombres (las Moiras, las Erinias, Némesis, etc.). Pero vayamos finalmente a Morfeo.

Hipnos, dios del sueño, tomó como esposa a una de las Gracias (Pasitea). Esta unión fue una de las más prolíficas de la mitología, porque la leyenda dice que Pasitea dio a luz, nada menos, que mil hijos. Y entre ellos nos encontramos a Morfeo, así llamado porque constituía una de las partes más profundas destinadas al sueño. Especialmente durante éste, Morfeo adquiría parecido y forma humana (del griego *morfé* = forma). Añadamos, a modo de inciso, que algunos de sus hermanos, durante el sueño, asumían funciones diferentes: Fantasio, era el «director artístico de los paisajes y las casas mientras Fobetor estaba destinado a representar los animales. Para otros, en cambio, el nombre de Morfeo hace referencia a su antiguo parentesco con la Noche y, en efecto, los griegos conocían las tinieblas y la oscuridad con el nombre de *morfnós*.

Ahora ya sabemos porque se dice «caer en brazos de Morfeo», porque el Sueño *(Hipnos)* se representa como un muchacho con dos alitas en las sienes, que pasa entre los hombres de puntillas, esparciendo licores soporíferos, las aguas del Leteo o flores de adormidera (ésta es la planta de la que se obtiene el opio y la morfina...). Más adelante diremos cómo la psicología analítica, especialmente en la interpretación de los sueños, se ha valido de estos mitos, para poder explicar algunas actitudes del individuo, perturbado por frecuentes trastornos en el sueño.

## La historia del sueño

Haremos una breve mención de aquella parte de la ciencia a la que ha sido dada el nombre de «zoología comparada»; es decir, al estudio de algunos aspectos de la vida animal, generalmente considerados como los más primordiales y simples, en comparación con los del hombre y, en consecuencia, a las raíces de sistemas mucho más complejos.

También el sueño tiene un origen «filogenético», es decir, que sigue la evolución de la especie y las adaptaciones que ésta ha tenido que sufrir en el transcurso del tiempo. Parece, en efecto, que la «noche de los tiempos» del sueño se remonta, por lo menos, a doscientos millones de años.

En esa época, dicen los investigadores, los seres vivos dormían, para ahorrar las energías que durante el día precisaban consumir en abundancia para procurarse alimento. La tierra estaba habitada por animales depredadores y entre ellos uno de los más encarnizados (podríamos definirlo como un «cazador nato») era precisamente el hombre. También parece que la función del sueño no se hallaba solamente ligada a un ahorro energético y, en consecuencia, a una recuperación funcional, sino al hecho de evitar pasar de depredador a presa. Debido a ello se escondía, se acurrucaba durante la oscuridad en un lugar seguro y protegido, que pueden considerarse actitudes estrechamente unidas y dependientes de la función del reposo y del sueño.

No podemos olvidar que, normalmente, cuando se duerme, no es necesario alimentarse y por esta razón el sueño es asimismo un ahorro de alimento.

Todas estas razones que pueden parecer obvias, bajo un análisis superficial, adquieren, no obstante, una lógica precisa cuando se intenta buscar una explicación a la inactividad nocturna y, en consecuencia, a la predisposición que experimenta el organismo hacia el descanso.

Ni siquiera algunos depredadores considerados «nocturnos» trabajan durante toda la noche y cuando durante el día aparecen como adormilados, como el búho, se encuentran en realidad más próximos a un «sueño con los ojos abiertos» que a un verdadero sueño tonificante.

Esto no atañe sólo al búho y a la lechuza, sino también a otros animales nocturnos que, en realidad, únicamente durante la noche se entregan a un sueño verdaderamente eficaz. También el ser humano dedica preferentemente al descanso las horas nocturnas. Volviendo a nuestra escala «filogenética» hemos de hacer una consideración que puede ayudarnos a comprender la razón del por qué en alguno de nosotros el sueño se encuentra perturbado y sea, tanto cualitativa como cuantitativamente, inferior al de otras personas.

Los animales más «sencillos» son considerados los peces, para pasar después a los anfibios, a los reptiles y a los pájaros o aves. Se ha observado que los peces, aun hallándose carentes de párpados, tienen un cierto tipo de sueño que, de todas formas, no puede ser comparable a nuestro sueño profundo. Pasando a los anfibios se asiste a una ulterior evolución, en la que predomina la inactividad, como en el caso de la rana, que siempre aparece como endormiscada pero que, en realidad, sólo duerme durante las horas nocturnas, lo mismo que las aves, animales que sólo mantienen algunas de las funciones más simples de sus organismos.

Al complicarse la escala evolutiva en los mamíferos, la «historia» del sueño muestra dos nuevos aspectos: el relativo a la función «búsqueda de alimento = actividad», «recuperación de energía = sueño» y el otro al que acabamos de referirnos, el de la seguridad, motivo por el que los animales depredadores y en un ambiente que presente mayores garantías de seguridad disfrutan de un sueño mejor y más prolongado que los animales no depredadores que se encuentren en lugares peligrosos para su existencia.

Si deseamos extraer unas consecuencias morales de todo lo anteriormente dicho, podremos expresarlo con la máxima: «conquistad una mayor seguridad para poder dormir mejor». Pero esto también podría significar que los individuos agresivos, prepotentes y egocéntricos duermen mucho mejor que las personas víctimas de complejos de inferioridad o con problemas de inseguridad... y esto es lo que la mayor parte de las veces realmente sucede.

# ¿Por qué se duerme?

La respuesta a la pregunta: ¿por qué se duerme? parece obvia; el sentido común nos hace responder: para descansar... Sin embargo, este problema no está todavía completamente resuelto y, de acuerdo con los testimonios y experiencias de muchas personas, no resulta en absoluto aceptable el principio «dormir para descansar». Existe una enorme variabilidad, incluso entre personas pertenecientes a la misma raza y al mismo estado social, en lo que hace referencia a la duración, la necesidad y la profundidad del sueño. Hay personas que se sienten perfectamente a gusto y «descansadas» tras un sueño de escasas horas, otras, en cambio, necesitan dormir un mínimo de ocho o nueve horas para encontrarse bien y algunas todavía no se sienten descansadas ni siquiera tras un período de sueño más largo.

Parece que había un señor en el Canadá que lograba realizar tres actividades distintas, sin ningún problema, durante las 24 horas, precisamente porque su sueño no se prolongaba nunca, más allá de 45 minutos y esto bastaba, según palabras de quien controló el caso y naturalmente, del propio interesado, era todo lo que precisaba para hallarse completamente descansado.

Muchos personajes famosos fueron «insomnes»; algunos por propia elección, probablemente fieles al principio según el cual: dormir es un poco, quitar vida a la misma vida o porque sentían que podían producir más, tanto en el campo intelectual como en el físico durante las horas nocturnas. Otros por pura necesidad, ya que su principal actividad se desarrollaba durante la noche o porque los desvelaban distintos trastornos o dolores. Entre estos personajes basta con mencionar al famoso científico Edison, que tenía suficiente con dormir un par de horas cada noche; Napoleón, que parece obligaba a sus lugartenientes a prolongadas guardias, porque decía que las mejores estrategias de guerra sólo lograba elaborarlas en la oscuridad (a decir verdad, lo que lo mantenía despierto era su aparato digestivo, enfermo y doloroso); grandes músicos como Bach, Beethoven, Mozart trabajaban muchas horas de la noche en sus composiciones y, para referirnos a personalidades más cercanas a nosotros, personajes de todos conocidos como Winston Churchill y Henry Kissinger, que sin tener trastornos de insomnio no dormían más allá de cuatro o cinco horas cada noche.

Todo esto lo decimos como parcial consuelo para las legiones de insomnes. ¡Se hallan en buena compañía! Además, algunos de ellos podrían, tal vez muy útilmente, deducir que, en el fondo, el insomnio, en lugar de ser considerado como una pena irremediable, puede destinarse al cumplimiento de unas actividades que, por regla general, se consideran diurnas.

Pero todavía no hemos contestado en forma exhaustiva a nuestra pregunta inicial: ¿por qué se duerme?

## Los ritmos biológicos

Los términos «biorritmo», «cronobiología», ritmo «circadiano» parecen haber entrado en el lenguaje habitual. Existe una abundante literatura, especializada o no, que trata de esos «ritmos», tanto para demostrar que, en efecto, toda nuestra vida se halla regulada por algunos invisibles «relojes», como para dar crédito a ciertas informaciones, un poco menos científicas y un poco más comerciales, sobre la eficacia de algunos productos dietéticos ingeridos en un determinado momento del día o en determinadas estaciones, lo mismo que ciertos medicamentos que, como realmente aparece demostrado, aumentan la acción si se administran en ciertas horas del día o de la noche. La «cronobiología» también ha sido invocada para explicar ciertos cambios de humor o, más específicamente psicológicos, lo mismo que para indicar las situaciones más favorables para desarrollar una actividad física o mental.

La «cronobiología» es la ciencia que trata de explicar los diversos cambios que se efectúan, en forma «natural» en los organismos, de acuerdo con una especie de «calendario» biológico que respeta la sucesión del día y de la noche y de las distintas estaciones. Pero además de este reloj biológico, que podemos llamar «externo» respecto a los seres vivos, existiría también otro instrumento «interno», capaz de regular todas nuestras funciones de forma casi automática y, muchas veces, independiente de nuestra voluntad.

Damos algunos ejemplos, que todos conocen, para comprender mejor este fenómeno. Sabemos que, en la memoria del hombre, el paso de las estaciones, sus características climáticas, las horas de oscuridad y de luz, caracterizan el comportamiento de todos los organismos vivos, vegetales y animales. Nadie habrá dejado de observar cuál es la conducta, por ejemplo, de un animal doméstico como el perro o el gato: sus exigencias de alimentación son exactas y bien reguladas (y, sin embargo, no usan relojes), duermen preferentemente en las horas nocturnas (si no son depredadores), tienen un período preciso «de amores», están reguladas sus momentos de actividad y otros de relativo reposo, y así sucesivamente. Todos conocerán también los fenómenos que siguen al sembrado de cualquier planta, que nace, crece, se desarrolla de acuerdo con determinados momentos de la estación, térmicos, de humedad y de luz. De esta forma el hombre y, aún más señaladamente la mujer, viven siguiendo exactos ciclos de su existencia, señalados por las estaciones, los meses, la temperatura, el calor, el frío, la luz y la noche. Nos sentimos más cansados, menos activos cuando se producen cambios en las estaciones, sobre todo en la primavera y en el otoño; nuestro humor, como se acostumbra a decir, se hace muchas veces «lunático», es decir, sigue las fases lunares (es conocido que existe una mayor incidencia de síndromes depresivos o «melancólicos» durante las fases de luna llena, al extremo de que en ese período se verifican también tentativas más numerosas de suicidio): las mujeres saben perfectamente la importancia que sus «ritmos» biológicos, estrechamente unidos al período ovulativo, tienen para condicionar su comportamiento y su *psiquis*. Bajo esta óptica se ha intentado explicar, precisamente, como el sucederse de algunos ritmos diarios (llamados circadianos, del latín *circa dies* = alrededor del día), y también el ritmo natural entre el sueño y el desvelo.

## Las fases «sueño-desvelo»

El ya citado y famoso insomne Napoleón Bonaparte tenía sus propias opiniones referentes a la duración del sueño que resumía en la siguiente frase: «...Cuatro horas para el hombre, cinco horas para la mujer y seis horas para los imbéciles...». Pero ¿cuánto hay que dormir verdaderamente y cómo se regula la duración de nuestro sueño?

No faltan a este respecto estadísticas muy respetables que corresponden a centenares de millares de casos clínicos y otras tantas pruebas experimentales efectuadas sobre sujetos voluntarios.

Pero antes de verificar y controlar si los hallazgos de la ciencia puede responder al caso de cada uno de nosotros, veamos cómo el reloj natural regula el ritmo «sueño-desvelo».

Si intentamos dar por nuestra cuenta una respuesta sobre la efectiva existencia de un ritmo natural que nos lleva a dormirnos a determinadas horas y a despertarnos a otras, estaremos todos de acuerdo que, normalmente, el adormecimiento coincide con las horas nocturnas y el despertar con las diurnas. Esto es tan evidente que, como más adelante tendremos ocasión de explicar con mayor claridad, incluso el insomne inveterado busca desesperadamente sus horas de reposo durante la noche, con preferencia a las del día. Esta afirmación no debe considerarse banal, porque nada obliga que ciertas actividades hayan de desarrollarse, precisamente, durante el día, a las horas de luz. Es más evidente todavía si se considera que la vida de millones de personas, sobre todo en el hemisferio norte (por ejemplo en los países escandinavos) viven durante meses enteros en la oscuridad. Pero también es cierto, como demuestra la experiencia, es sólo, durante ciertas horas que el individuo siente la necesidad de acostarse y de dormir.

Debemos por lo tanto deducir automáticamente que debe de existir una especie de reloj biológico interno, capaz de regular nuestro sueño y nuestras horas de desvelo. Durante las diferentes etapas de la vida sufre importantes «puestas a punto»; así sabemos que cuanto más envejece un organismo menos necesidad tiene de dedicar horas al sueño. Se pasa, en efecto, de las 15-16 horas de un recién nacido a las 7-8 horas de la persona adulta, para llegar a las 6 horas escasas, o incluso menos, durante la vejez.

Estos datos no deben perturbar a quienes, en su lucha nocturna con el sueño, pide mucho menos al buen Morfeo y considera totalmente imposible conseguir esta meta. Es preciso tener en cuenta, la particularidad de cada uno y además saber que se puede aprovechar plenamente incluso una sola hora de sueño, siempre que esté perfectamente «realizada».

Volviendo al reloj biológico, hemos de indicar otras funciones que se hallan también reguladas por este invisible mecanismo y conectadas con el sueño. En efecto, se ha comprobado que el período de reposo del cuerpo y de la mente corresponde también a la disminución de algunos reflejos normales, a una secreción disminuida de jugos gástricos (he aquí la razón por la que con-

viene no comer antes de acostarse), a un aumento de la sudo-
ración, a una disminución de la temperatura corporal y del metabolismo basal, a un aumento del estancamiento de la sangre en
ciertas partes del cuerpo (rostro, piernas, párpados) y por último
a una disminución de la frecuencia cardíaca y de la presión
arterial.

El reloj (de 24 horas) está regulado por la rotación terrestre
más que por la sucesión de la oscuridad y la luz y se cree que es
debido a la costumbre o comodidad que el organismo, se ha
adaptado a este «marcapasos» externo.

Pero, como ya hemos indicado, también existe la influencia
de un reloj interno. Para demostrarlo, algunos investigadores han
elegido individuos sanos y sin problemas de sueño y los han aislado de toda influencia exterior, utilizando determinados am-
bientes insonorizados, sin ventanas y, naturalmente, exentos de
todos aquellos mecanismos que pudiesen dejar deducir el paso del
tiempo.

Estas personas debían, por lo tanto, confiar tan sólo en el
hipotético «reloj interno» para regular cualquiera de sus necesidades: desde la necesidad de alimentarse, al sueño y al desvelo.
¿Qué sucedió? Pues continuaron presentando los mismos ritmos que las caracterizaban durante su vida normal, con una sola
diferencia: en el transcurso de los días, tenían tendencia a dormirse una hora más tarde y, en consecuencia, a despertarse una
hora después, de forma que al final del experimento, que duró
casi un mes, los «cobayas» voluntarios se encontraron que habían
ganado (o perdido) un día entero. Esto sirvió para demostrar
no solamente que la jornada regulada por el reloj biológico tenía
una duración de una hora más que el correspondiente día astro-
nómico, sino también que las variaciones rítmicas de nuestro
organismo tenían lugar igualmente sin la presencia del reloj
«externo».

Otra prueba, todavía más sencilla, de la existencia de este
regulador interno de nuestras funciones primarias nos la ofrece

la dificultad de adaptación a los llamados «husos horarios». Muchos habrán ya experimentado, cuánto tiempo necesitan para que el propio «reloj interno» se sincronice con el del país visitado. Para un viaje ultraoceánico hacia el Oeste (por ejemplo, a los Estados Unidos) se necesitan, por lo menos, 4 días de tiempo para el organismo se encuentre «cómodo». Y todavía el reajuste es más largo, si nos dirigimos en dirección contraria, hacia el Sol, viajando por ejemplo al Extremo Oriente. En este caso, es necesario, por lo menos, una semana para readaptar nuestro ritmo.

También estas observaciones son importantes, para comprender cuánto y cuándo un trastorno en el sueño, ha de ser tomado en consideración y de qué forma debe de ser tratado, para no incurrir en desagradables inconvenientes, que casi siempre se deben a nuestra supraevaluación.

## La sede del sueño

¿Existe una formación anatómica o, simplemente, un grupo de células de las que podemos demostrar, tenga su origen el sueño? ¿Puede actuarse sobre este centro para provocar un sueño natural? A estas preguntas han intentado dar una respuesta científicamente válida los investigadores que se ocupan de las funciones del sistema nervioso, que reciben precisamente por ello el nombre de «neurofisiólogos». En unión a los investigadores especializados en anatomía microscópica, los neurofisiólogos se han fijado la tarea de demostrar la existencia de una sede del sueño y, sobre todo el conocer, si se puede actuar sobre esa sede para inducir o modificar el sueño de los animales. La importancia de lograr una respuesta a algunos problemas de la fisiología del sueño, no se encuentra precisamente en la posibilidad de poder actuar sobre algunos centros para producir en forma artificial el proceso, sino también en la capacidad de explorar y justificar las funciones más complejas y sutiles del organismo, tales como las que corresponden a la producción del pensamiento.

Una vez más podemos servirnos, al hablar de un tema tan comprometido, de simples conceptos intuitivos, que nos conducirán rápidamente al mismo camino que, de forma más científica, han seguido los investigadores. No es excesivamente complicado, imaginar que el sueño, en uno de sus aspectos más misteriosos, la «actividad onírica» (los sueños) sólo puedan tener origen en las partes más nobles del organismo, es decir, en el sistema nervioso superior, más complejo, formado por el cerebro (encéfalo) y la corteza cerebral.

Es hacia este órgano donde se ha centrado la atención de las investigaciones sobre el origen del sueño, también porque con la llegada de las nuevas técnicas electrónicas, se ha hecho posible verificar algunas funciones de este órgano tan complejo, a través de las gráficas de la actividad eléctrica producida por los millones de células que lo constituyen, sin necesidad de cruentas operaciones. El aparato capaz de registrar la actividad eléctrica del cerebro, recibe el nombre de «electroencefalógrafo» y la gráfica producida por este aparato, cuando se conecta a través de una serie de pequeñas placas conductoras con el cuero cabelludo proporciona el llamado «electroencefalograma» (EEG).

Ha sido posible, mediante unas técnicas especiales, registrar un EEG de personas durante el sueño y obtener de ello importantísimos datos para dar respuesta a algunos problemas referentes a la actividad cerebral de una persona dormida y, sucesivamente, sobre la sede de algunas fases de este fenómeno.

Contrariamente, a lo que podría suponerse, el sueño no es de la misma intensidad e «importancia» durante toda la noche. No siempre se sueña mientras se duerme. Esto se ha podido demostrar sobre buenos «durmientes» voluntarios que han sido sometidos durante su sueño, no inducido artificialmente, a la obtención del EEG.

Se han podido apreciar cuatro fases visibles en el EEG durante el sueño: las tres primeras, llamadas de «sueño sincronizado», durante las que se produce un evidente y progresivo descenso de la actividad cerebral (como podemos fácilmente intuir) y que corresponden, dicho en forma sencilla, a los primeros momentos del sueño; una cuarta y última fase, durante la que se verifica un fenómeno inesperado y singular, y llamada por ello «sueño paradójico», puede observarse una «desincronización» del trazado del EEG, muy parecido al del estado de desvelo.

Pero, en realidad es, durante esta última fase cuando el sueño resulta más profundo, más eficaz para la finalidad del reposo y, lo que no es menos importante, durante este período, tiene lugar la actividad de los sueños (llamada «actividad onírica»).

Esta fase es conocida como período o episodio REM (*Rapid Eye Movements* = movimientos oculares rápidos), dado que durante el sueño REM se han observado, bajo los párpados de los sujetos a examen, rápidos movimientos oculares, tanto en sentido horizontal como vertical. Esta fase también es apreciable, en otras especies animales, por lo que ha podido deducirse que no solamente sueña el hombre, sino también los gatos, los perros... y hasta las gallinas.

Otra observación importante: las cuatro fases del sueño a las que hemos hecho mención, se producen cíclicamente en el transcurso de las siete-ocho horas que normalmente duerme un individuo y tienen una duración distinta. Se calcula en un sueño normal de ocho horas (en un individuo joven) que estas fases se repiten, aproximadamente, cada noventa minutos. De estos noventa minutos el sueño más profundo (o sea, el sueño REM) sólo ocupa una mínima parte que, en conjunto, se calcula alrededor de dos horas aproximadamente. Este tipo de sueño tiende a disminuir ligeramente sólo durante la ancianidad. En la práctica ¿un buen sueño REM de una hora bastaría para cubrir las necesidades diarias de un adulto? Podría responderse afirmativamente a la pregunta, aunque aún no ha sido posible transformar todo el sueño en sueño REM eficaz.

Cuanto se ha expuesto puede servir para explicar las razones por las que muchas personas, aun pareciendo insomnes, logran con escasísimas horas de sueño satisfacer sus exigencias de reposo y, en consecuencia, puede resultar psicológicamente negativo tachar de insomnes a estos individuos, sólo porque pueden molestar a los demás con sus desvelos nocturnos.

De todo ello, se deduce lo importante que resulta establecer dónde se encuentra la sede del sueño REM y por lo tanto la del... «mundo de los sueños». Las investigaciones en este aspecto, se iniciaron en las primeras décadas de nuestro siglo, para proseguir hasta nuestros días, en un sentido más específico: individualizar las especiales sustancias (llamadas «mediadoras del sueño») implicadas en la transmisión química de los impulsos ligados a dicha actividad.

El cerebro se «duerme» cuando se separa de algunas estructuras subyacentes, de las que forma parte y a las que se halla unido. Este hecho fue comprobado por el experimento, aparentemente muy sencillo, llevado a cabo por un fisiólogo belga (Bremer) que, a través de varios intentos, llegó a demostrar lo siguiente: un cerebro aislado, carente de las estructuras inmediatamente subyacentes, cae en un estado semejante al del sueño profundo; de lo que se deduce que se mantiene despierto debido a las estructuras subyacentes que tienen la misión de «despertarlo», cuando se estimulan en la forma oportuna; la alternativa cíclica y casi automática del sueño-desvelo se mantiene por porciones aún más distantes del cerebro, que conectan directamente con la médula espinal. Sobre estas zonas se ha dirigido la actividad de los investigadores, que han intentado captar las estructuras de algunas sustancias químicas, que aparecen producidas precisamente, por los componentes celulares de los órganos aislados por Bremer.

No es cuestión, en este caso, de seguir los pasos efectuados por estos hombres de ciencia en las distintas fases de la investigación, porque ello exige amplitud de conocimientos más complicados. Llegaremos rápidamente a las conclusiones, recordando que, en parte, esas sustancias han sido aisladas y que su presencia ha sido demostrada experimentalmente en los animales de laboratorio.

Entre tales sustancias, merece una especial mención un aminoácido *esencial*: el «triptofano» (*esencial* = sustancia que necesariamente ha de ser asimilada con la dieta, ya que nuestro organismo no se halla en condiciones de producirla). El triptofano alcanza con facilidad, las células cerebrales donde se transforma en otra sustancia que juega un papel decisivo en el ciclo sueño-desvelo: la «serotonina». Se ha demostrado que si se bloquea la producción de serotonina en el cerebro de un animal, éste permanece insomne incluso durante una semana. Es importante señalar, un alimento muy común y rico en triptofano: la leche.

¿Es esta la razón por la que pueden conciliar el sueño algunas personas si antes de acostarse beben un buen vaso de leche tibia? Es una hipótesis muy pausible que ha impelido a la búsqueda de otros compuestos químicos, naturales o no, para administrarlos a personas que presenten alteraciones en el sueño. Entre estos compuestos se concede la mayor importancia a los aminoácidos de la dieta. Tendremos ocasión de volver a referirnos a ellos cuando hagamos mención de algunos métodos capaces de proporcionar un buen sueño.

# Por qué se sueña

Hemos señalado que el sueño es una aventura misteriosa, tan misteriosa que hasta la propia investigación científica aún no ha llegado a confinarla en sus límites exactos; pero aún es más misterioso ese extraño viaje de la fantasía que durante el sueño llega a alegrar o a angustiar nuestras noches: los sueños. Esta parte, es la que ha hecho derramar «ríos de tinta» no sólo a los investigadores del sistema nervioso, sino también a poetas, literatos y a otros muchos que han querido dar una interpretación personal a esta tan sutil función de nuestra mente.

Anteriormente, al referirnos a las fases sueño-desvelo, hemos aprendido a indicar cómo la fase REM, ese período del sueño durante el que el cerebro, en forma paradójica, se halla «despierto» para una de sus actividades: se trata, precisamente, de la actividad llamada «onírica» (del griego *oniros* = sueño).

En las próximas páginas intentaremos dar una explicación sobre esta actividad, con una breve referencia a la teoría de la interpretación de los sueños (sobre la base de la psicología moderna) y a aquellos sueños perturbadores, conocidos por «pesadillas» que con frecuencia nos acompañan, y de los que prescindiríamos con sumo gusto.

## Un viaje imposible

«...Me encontraba en un pueblecito costero, que reconocí porque el balcón donde me encontraba me hacía pensar en la vieja casa donde, de niño, pasaba las vacaciones con mis padres. Podía observar frente a mí, además de la calle, el mar: un espejo de agua no distante de mi posición de observador, muy semejante a un lago. De repente, en el horizonte apareció un gran transbordador, lleno de personas, que cada vez se hallaba más próximo; atraviesa la calle y llega debajo de mi balcón. En ese momento, no sabría explicar cómo, me encuentro en la cubierta, al lado del comandante y desde esa posición logro observar el horizonte, en el que aparecen muchas islas. La nave se halla escorada sobre un flanco y el comandante espera mis instrucciones para hacerse a la mar, pero en ese momento...»

He aquí el relato de un hecho imposible en la realidad: una fantasía o un sueño. Casi siempre los sueños se manifiestan como hechos de carácter absolutamente irracional; otras veces, sin embargo, su evidencia y conexión con la realidad es tal, que resulta difícil distinguir dónde termina el sueño y se inicia un suceso realmente acaecido. De todas formas, sin embargo, se atribuye a los sueños la característica de no pertenecer a los hechos reales. Lo indican expresiones que forman parte del lenguaje corriente, «creo que estoy soñando», «me parece un sueño», «¿estaré soñando?...», «¿sueño o estoy despierto?».

¿Cómo puede explicarse que nuestra mente, tan racional, coherente, consecuente, durante los sueños logre producir imágenes tan vagas, tan increíbles, y hechos tan abstrusos y complicados que ponen a dura prueba nuestra memoria? Y aún más: ¿puede todo ello tener un sentido en lo que respecta al mantenimiento de la «salud» mental?

Podemos anticipar que de acuerdo con las conclusiones de un investigador del comportamiento humano, Michel Jouvet: «el sueño no es más que un instrumento que la naturaleza ha puesto a punto para mantener en función y en ejercicio los complicados circuitos cerebrales, incluso durante el reposo». En la práctica se trataría de una especie de «entrenamiento», no sólo útil para el mantenimiento de las normales funciones cerebrales, sino incluso indispensable para el ulterior desarrollo de las células interesadas.

Demostraría el hecho, según el citado científico, que el feto pasa la mayor parte de su vida intrauterina en sueño REM y que suprimiendo el sueño REM a los animales de experimentación, especialmente durante las fases de desarrollo, se obtiene una menor evolución de las células más nobles.

Esto no debe preocupar a quienes piensen que «no sueñan» o que sueñan poco. No existen personas que no sueñen. E incluso cuando parece que no se ha soñado, pese a haber hecho una buena dormida, es, simplemente, que se han olvidado los sueños, tal vez por su escaso significado o por resultar incomprensibles. En la práctica se verifica el mismo fenómeno, que puede experimentarse intentando repetir una sencilla poesía rimada y ritmada y un fragmento de prosa del que no se logre captar el significado.

Otra respuesta bastante sencilla y bastante satisfactoria sobre el mecanismo del sueño es, su significado en la economía de nuestro organismo, que también puede proporcionárnosla la observación del mundo animal.

Se ha podido comprobar que también los animales durante el sueño presentan una actividad onírica. Todo aquel que haya observado a un animal durante sus períodos de reposo, se habrá dado cuenta de los pequeños movimientos que animan de forma imprevista las extremidades o la cola, las pequeñas contracciones musculares y el movimiento de los globos oculares bajo los párpados. Incluso un niño, observando estos movimientos dirá: «El gatito está soñando con un ratón», o bien que su perro está «Soñando con un hueso». Nada más exacto, de acuerdo con las teorías de los investigadores; y es en estas ingenuas observaciones dónde, en la práctica, se encuentra la que puede ser considerada una de las funciones más elementales del sueño: la satisfacción de un deseo.

Por lo tanto, también se sueña para dar la posibilidad de manifestarse alguna de nuestras tendencias o exigencias; deseos y exigencias que normalmente, en la realidad no pueden satisfacerse.

Llegamos de esta forma a la interpretación de los sueños, que Freud realizó, precisamente, sobre esa intuición, aparentemente banal, centrándola inmediatamente en la esfera sexual del individuo que es, por cierto, una de las más ricas en deseos inconscientes irrealizados e irrealizables.

Otro gran analista de la conciencia y del inconsciente, G. Jung, ha querido demostrar algo todavía más profundo en el significado de los sueños, relacionándolos con nuestras raíces más lejanas que, en opinión de dicho autor, se han de buscar en la propia historia del hombre, en los mitos y las leyendas, que de alguna forma se transmiten genéticamente desde tiempos inmemoriales, dejando un signo al que Jung llama «el arquetipo».

A través de esta teoría puede comprenderse mejor la razón del por qué el conocimiento de un mito, su búsqueda y su estudio no sólo constituyen una simple curiosidad, sino pueden servir de instrumento para «diagnosticar» el origen de un miedo, de una fobia, un sueño que se repite en forma «intermitente». De esta forma nos es más fácil comprender por qué cuando una persona presenta trastornos en la conducta, malestares de tipo psíquico, «neurosis» o miedos irracionales, alteraciones de la propia personalidad, éstos pueden reflejarse en trastornos en el sueño y, como en un espejo, en los sueños, que pueden asumir particulares connotaciones, hasta convertirse en aquellas representaciones dramáticas y angustiosas, que conocemos bajo el nombre de «pesadillas».

### ¿Es necesario soñar? ¿Es posible evitar las pesadillas?

Si tomamos en consideración las distintas observaciones hechas referentes a los animales y a la vida pre-natal, hemos de llegar necesariamente a la conclusión de que el sueño es una de las funciones indispensables para el organismo, además —naturalmente— de nuestro cerebro.

Podemos entonces preguntarnos, qué será de nuestro órgano más noble, tras noches de insomnio y qué significado beneficioso puede tener una experiencia tan angustiosa como la «pesadilla».

La primera cuestión planteada, ha tenido una respuesta tranquilizadora a través de la experiencia efectuada en «laboratorios» del sueño sobre individuos, que se han sometido voluntariamente a algunas pruebas, hasta el límite de su capacidad. Estas personas han aceptado dormir sólo «bajo orden», a determinadas horas, y a ser despertadas en el momento en que el observador juzgara más adecuado. A algunos se les ha mantenido despiertos, durante una semana entera o hasta que el voluntario abandonó espontáneamente el experimento.

Las conclusiones obtenidas de las observaciones sobre el comportamiento de estos «forzados» al desvelo, han llevado a la conclusión, diferentemente de cuanto estamos obligados a pensar, las condiciones intelectuales y físicas de los que permanecen durante largo tiempo despiertos, incluso de forma forzada, disminuyen relativamente muy poco. Tan sólo algunos ejercicios que requieren una concentración superior a la normal, como el juego de ajedrez y algunos *quiz* de inteligencia presentaron dificultades o, en algunas ocasiones, fueron imposibles de llevar a término correctamente. En todos los casos, se presentaba siempre un período de grandes dificultades, de «crisis» a los que seguía una recuperación bastante rápida de las facultades normales. Pero la experiencia más interesante, sobre todo para aquellos que se consideran insomnes incurables, ha sido la llevada a cabo sobre cierto número de personas, de ambos sexos, que declaraban que sólo lograban dormir pocos minutos por las noches. Estas personas tuvieron la oportunidad de mostrar, qué tiempo era el que permanecían despiertas durante la noche. Para hacer esto,

37

fueron reunidas en un «laboratorio» del sueño dónde podían ser observadas por los investigadores que, sin ser vistos por ellos, seguían su comportamiento. Se les avisó que durante el sueño serían despertados repetidas veces por el sonido de una campanilla. Ninguna de estas personas recordó, si había sonado la campanilla ni cuántas veces lo había hecho en caso afirmativo. Y todas durmieron, por término medio, entre cinco y siete horas cada noche. No se ha especificado si durante el tiempo en que durmieron se produjeron abundantes sueños. En el caso de que los sueños no hubiesen existido o que hubieran sido poco evidentes, se tendría la certeza de que no basta una cierta «cantidad» para hacer del sueño un período de reposo eficaz, sino que también es necesario que el sueño tenga una buena «calidad», acompañado de una eficaz «actividad onírica». Esto es lo que creen los investigadores, cuando hablan de un sueño eficaz.

Son muchas las personas que, soñando mucho, preferirían renunciar a ello, porque sus sueños se transforman en visiones espantosas, en situaciones de verdadera angustia, en imágenes horribles y dramáticas. Eso es lo que sucede durante las «pesadillas».


## La pesadilla, la «hermana maligna» del sueño

Tener una pesadilla no es para todo el mundo una experiencia demasiado angustiosa, sobre todo cuando se trata de un hecho ocasional y poco frecuente. A veces, se convierte en una circunstancia digna de atención por las causas que la provocan o por las eventuales consecuencias sobre el sueño, cuando se repite con cierta periodicidad o, incluso, cada vez que se va a dormir.

Muchas veces la pesadilla no es más que un sueño normalísimo en el que de repente nuestro subconsciente entrevé una especie de «clave de lectura» de aquellos impulsos y deseos inexpresables, a los que ya nos hemos referido, y de los que los sueños son simbólicamente muy ricos. Y, de hecho, en el momento en que la imagen soñada se hace clara de repente y muy parecida a la realidad, nos despertamos «víctimas de la pesadilla».

Es cierto, que no siempre (serán muchos los que creerán que la mayor parte de las veces) la pesadilla sea tan «normal» en apariencia y las cosas que aparecen representadas de algún modo, sean horripilantes. Pero si se intenta pensar que no se es partícipe en el suceso que la pesadilla nos está haciendo vivir, sino simplemente espectadores ocasionales, con toda seguridad las sensaciones perderían intensidad y dejarían de resultar preocupantes. Esto significa que, el sueño, siempre, aunque sea muy espantoso e imposible de imaginar en la realidad, pertenece a lo más profundo de nuestro ser, a nuestros pensamientos más ocultos que, lógicamente, se nos aparecen de súbito insoportables.

Una creencia popular representa la pesadilla como una especie de castigo para aquellos que no tienen «la conciencia limpia». La literatura y la iconografía clásicas se hallan llenas de representaciones y relatos de estas pesadillas, generalmente atribuidas a personas malvadas o que han cometido algún delito. También se dice que una digestión dificultosa o el haber ingerido determinados alimentos pueden provocar «malos sueños». Científicamente resulta difícil comprobar la veracidad de estas afirmaciones, pero la experiencia común nos ayuda a confirmar que existe cierta parte de verdad y si realmente los motivos se encuentran en la «mala conciencia» o en una «mala digestión», la solución podrá darla un psicoanalista o un... gastropatólogo.

Puede resultar no demasiado obvio sugerir, llegados a este punto, cómo puede evitarse caer en ese «abismo» de la pesadilla y cómo no dejarse arrastrar por esas malas jugadas de nuestro subconsciente. Es suficiente, con seguir algunas simples e incluso muy conocidas normas higiénicas (cenas ligeras; no acostarse inmediatamente después de haber comido; evitar algunos alimentos que dependen de la tolerancia individual y determinadas bebidas alcohólicas; tomar un baño tibio antes de acosarse, etc.), normas a las que volveremos con mayor amplitud cuando hablemos del tratamiento del insomnio. Además, será oportuno, si queremos prestar crédito a la opinión sobre la «mala conciencia» que aquellos que sufren con preocupante periodicidad cierto tipo de sueños, controlen mediante un «autoanálisis» (en otros tiempos se hablaba de «examen de conciencia») sus propios problemas, las ansias, las inseguridades, la relación con otras personas y, también, su estado físico de salud. Si por sí solo, no logra hallar una solución a las pavorosas representaciones que su subconsciente se divierte en exhibir ante él, el consejo de un experto en problemas del espíritu o de la *psiquis,* seguramente podrá devolverle la serenidad de largas noches de profundo reposo.

# Cuándo y por qué no se duerme

¿Cuántas son las personas que cada noche se disponen a sostener una dura lucha con el sueño que no quiere decidirse a ofrecerles descanso? Se han hecho cálculos aproximados que muestran cifras verdaderamente preocupantes. En Italia suman, como mínimo, siete millones de seres que sufren trastornos en el sueño. De éstas, tomando los datos más recientes, el 13 % corresponde al sexo femenino, mientras el restante 87 % afecta a los varones.

La cantidad de píldoras, gotas y sustancias para favorecer el sueño, es igualmente impresionante, alcanzando un consumo acorde con el número de personas víctimas del trastorno. Se habla de toneladas de productos químicos y, naturalmente, de miles de millones gastados para alcanzar un bienestar, con mucha frecuencia efímero.

En el presente capítulo nos ocuparemos de este muy difundido trastorno, buscando las razones para poder sugerir, a continuación, los remedios más oportunos y menos perjudiciales.

## El insomnio

Literal y clínicamente, la palabra «insomnio» indica una condición patológica caracterizada por la total ausencia del sueño, condición que, como en buena parte ya hemos puesto en evidencia, en realidad no se verifica más que de forma parcial, y totalmente sólo en casos esporádicos.

Visto que la ausencia del sueño durante períodos prolongados, como ha quedado ampliamente demostrado, es incompatible con la existencia, lo cierto es, que el que se declara como «insomne» duerme, aunque no siempre, poco y mal. Naturalmente, no es necesario sufrir una ausencia total de sueño para lamentar las desagradables sensaciones de malestar que para una persona habituada a dormir de una forma normal, ciertamente pueden causarle problemas, aunque sean ocasionales. Ante todo, habremos de hacer una distinción entre estos insomnios «ocasionales» (más o menos normales) y los insomnios «patológicos», condicionados por períodos más o menos prolongados de carencia total de sueño (al menos en apariencia) o de sueño permanentemente alterado.

**Los insomnios «ocasionales»**

A todo el mundo, por lo menos una vez en la vida, habrá padecido cierta dificultad en conciliar el sueño durante una o varias noches seguidas o bien despertarse, sin una causa concreta, bastantes horas antes de levantarse, acortando de esta forma el tiempo destinado al sueño. Por regla general, en estos casos, el descanso es alterado por la incapacidad de reanudar los hábitos normales y de un sucesivo desfase en el ritmo «sueño-desvelo».

En estas ocasiones, resulta muy sencillo hallar las causas que han originado la modificación del sueño y han de buscarse en cambios en las costumbres, en trastornos psicológicos pasajeros o en la aparición de un trastorno físico. Veámoslas brevemente. Pueden haber cambios en las costumbres en el curso de un solo día: basta pensar en la alimentación o en las restricciones dietéticas que constituyen el «hábito» de muchas personas. Son muchos los problemas que la alimentación puede causar, relacionados con dificultades digestivas, dolores abdominales, trastornos intestinales, motivos todos de posibles perturbaciones en el sueño.

Referente a ello, debemos anticipar (y ya se discutirá más ampliamente al ocuparnos de la dieta para conciliar un buen sueño) que entre los enemigos de un buen dormir, han de señalarse el alcohol y las comidas abundantes por la noche, antes de acostarse. Contrariamente a lo que pueda creerse, el alcohol, que para muchas personas parece ser un compañero del sueño, puede convertirse en una de las causas principales del insomnio, y de las más difíciles de tratar. Se ha comprobado que libaciones excesivas pueden favorecer las primeras fases del sueño, comprendido el adormecimiento, pero produce mayores trastornos durante el período más eficaz del sueño, es decir, el de las últimas horas del mismo, o, si se prefiere, de las primeras horas de la mañana. Quien, esporádicamente, ha cogido una «trompa» puede atestiguar lo que hemos afirmado.

Cuando no entran en lid los productos alcohólicos que, usados con moderación y durante las comidas pueden ayudar a conciliar un buen sueño, otras sustancias alimenticias pueden ser motivo de un insomnio ocasional. El buen sentido y la tolerancia individual ayudarán en estos casos a elegir los alimentos de más fácil digestión, dando preferencia a comidas ligeras, a vegetales aliñados con poco aceite crudo, a las carnes blancas asadas a la plancha. Esto es válido, sobre todo, para quienes tengan dificultades digestivas, para los que se ven obligados a cenar poco antes de acostarse, teniendo siempre presente la conveniencia de no tomar por la noche comidas excesivamente abundantes y reservándolas para las horas diurnas.

Más conocidas son entre las causas de insomnio ocasional, los trastornos psicológicos que pueden ir desde la emoción susci-

tada por una buena noticia al dolor causado por un aconteci-
miento desagradable, a la angustia que causa la espera de un determinado suceso. Estas situaciones han sido experimentadas por
la mayoría de las personas y que, dadas sus características no
pueden considerarse como «anómalas». La espera de un aconte-
cimiento importante, la emoción de haber superado una prueba,
el cansancio provocado por la tensión nerviosa después de un
examen, un deceso, un enamoramiento, pueden todas considerarse causas posibles de una noche de insomnio o de algunas
noches de sueño inquieto.

Es evidente, que poco puede hacerse para suprimir en estas
situaciones parte de la carga emocional que las caracteriza y,
lógicamente, no pueden ser previstas especiales intervenciones
preventivas. Son estos casos, bastante raros, en que puede ser
indicado un tratamiento agudo, por calificarlo de emergencia, quizá con el mismo tipo de fármacos que, a la larga, podrían resultar perjudiciales, pero que en estos casos específicos pueden
desempeñar el papel de calmar temporalmente, el sistema nervioso. También para estas medicaciones daremos consejos más
concretos en el correspondiente capítulo. Más fácil y más lógico
puede ser un tratamiento preventivo para aquellos tipos de insomnios ocasionales, provocados por la reagudización de un trastorno
orgánico.

Nos referimos a trastornos que constituyen el origen de sensaciones dolorosas o que se perciben como tales, especialmente
evidenciadas durante las horas nocturnas. Entre este tipo de trastornos los más frecuentes son: las cefaleas, los dolores de estómago (gastralgias), los reumatismos articulares, las artrosis y los
calambres musculares. En estos casos, la prevención es la mejor
arma para vencer el insomnio, derivado muchas veces por la
preocupación de que durante la noche pueda ser despertado por
una sensación desagradable.

Para no repetirnos, dado que estos síntomas con tendencia a
la cronicidad, pueden ser el origen de los insomnios que hemos

definido como «patológicos», los trataremos en el capítulo
siguiente.


## Los insomnios «patológicos»


¿Qué se entiende por «insomnio patológico»? Cuantificar el
término «patológico» no sería correcto y no nos ayudaría a
comprender cuándo la falta de sueño puede, realmente considerarse como una enfermedad y, por lo tanto, ser definida como
«patológica». En efecto, no es tanto el período, más o menos
largo caracterizado por la falta de descanso lo que puede ser
considerado como enfermedad, sino las modalidades que presenta el sueño durante ese período.

Para dar un ejemplo concreto, imaginemos que nos encontramos en una situación en que nuestras relaciones con la realidad que nos rodea, se hallan en dificultades por situaciones
ingratas: problemas de trabajo, cuestiones financieras, impre-
vistos, el cambio de clima y de costumbres y otras muchas. En
estas ocasiones, nuestra mente se encontrará tan preocupada en
encontrar soluciones que una sensación de malestar e inquietud
ocupará no sólo las horas dedicadas a la actividad normal, sino
también las del sueño. Como consecuencia, se desarrollará un
insomnio más o menos difícil de combatir, en el que se inter-
calan momentos de sueño eficaz y generalmente, no contrarios
al normal desarrollo de las actividades laborales y de la vida
de relación. No podemos, por lo tanto, definir este insomnio
como «patológico» y lo trataremos mediante procedimientos sua-
ves y sencillos que, en parte, ya hemos sugerido.

Supongamos, no obstante que, pese a los medios puestos en
práctica para reducir un insomnio ocasional, éste continúe, sin
motivo aparente, noche tras noche, durante algunas semanas o
incluso algunos meses, aumentando la angustia de la persona que

lo sufre y, en consecuencia, cambiando las características habituales de su sueño, hasta llevarla a un «agotamiento nervioso» que le impide cumplir sus habituales actividades de trabajo. En este caso podremos empezar a pensar en un insomnio «patológico», aunque no sea de tipo «orgánico» (no ligado a la disfunción de ningún órgano o a una posible lesión), sino «psicológico» y se habrá de recurrir a procedimientos especiales para resolverlo.

Además de este tipo de patología, que puede considerarse bastante frecuente, existen otras que deben de ser tomadas en consideración, aunque se presenten más raramente, y en las ocasiones en las que prevalece una enfermedad primaria; por regla gneral se presenta en enfermedades graves del sistema nervioso o por disfunciones, menos graves, de otros órganos (hígado, estómago, riñones, etc.). Es obvio que estas últimas deberán ser cuidadosamente evaluadas y tratadas por el médico quien, a través de la terapia de la afección primitiva (por ejemplo, una gastritis o una insuficiencia hepática) logrará vencer el insomnio secundario, sin necesidad de recurrir a los fármacos o instrumentos terapéuticos, más adecuados para el simple tratamiento de los trastornos del sueño.

En lo que se refiere a los insomnios «patológicos», la cosa será muy distinta cuando se trate de trastornos del sueño debidos a factores de la esfera psíquica que, con mucha frecuencia dependen de estados depresivos crónicos o de manifestaciones fóbicas (miedos) más o menos graves. En este caso el empleo de fármacos aptos para procurar el sueño ha de hallarse indisolublemente ligado a una adecuada «psicoterapia», la única que podrá alcanzar las raíces reales del trastorno psicológico.

Para no extendernos más en temas que son de estricta competencia médica, podemos concluir estas brevísimas referencias sobre la patología del sueño, evitando las situaciones y circunstancias que puedan hacer posible sistemáticamente la falta de sueño. Es cierto que, tal como sucede en muchos campos de la medicina y de la salud, la mayor parte de las enfermedades se desarrolla por una causa que, por lo general, inicialmente tiene escasa importancia. Lo difícil no es encontrar la causa, sino suprimirla, cuando ésta se ha encontrado, e impedir que se repita obsesivamente. A los sistemas para eliminar el insomnio y evitar todas las causas que puedan alterar nuestro reposo fisiológico dedicaremos la segunda parte de este volumen.

# Cómo dormir bien, cómo dormir mejor

La mayoría de las personas que se enfrentan al problema del sueño, tienen con frecuencia al alcance de la mano una larga lista de fármacos y remedios capaces de resolver este malestar y, además, generalmente, se halla enriquecida por una serie de informaciones y experiencias sobre algunos sistemas (más o menos experimentados) para conciliar el sueño.

La fantasía, las creencias populares y el sentido común tienen, en este aspecto, un amplio bagaje que han transmitido a las personas que sufren insomnio y si bien no siempre han logrado resolver el problema, han jugado un importante papel en la sugerencia de «terapias», por lo general inocuas, respecto a los corrientes tratamientos farmacológicos.

Lo que encontraréis en esta parte del libro, aun no siendo totalmente original, puede seros útil, y junto a las informaciones que ya os han sido proporcionadas, os ayudarán, poco a poco, a elegir las situaciones y los medios más adecuados para vuestro reposo nocturno. Para empezar, hablaremos del dormitorio.

## El «lugar de los sueños»

Para muchas personas insomnes, el lugar donde cada noche tienen que enfrentarse con el penoso ritual de esperar el sueño, que no quiere acogerlos entre sus brazos, puede convertirse en una verdadera cámara de tortura, lo mismo que la idea de que les va a ser imposible dormir.

Por esta razón, una de las primeras cosas a la que debe de prestarse atención es al lugar, dónde cada uno de nosotros, está «obligado», noche tras noche, a cerrar los ojos. El hecho de que una habitación de la casa esté especialmente destinada a la función de refugio al aspirante a soñador, por lo general tiene un significado positivo, como representación de retorno grato y gradual al seno materno, a una cubierta protectora, a un cuidadoso silencio. Pero esto no ocurre en todos los casos que conocemos y, retroceso o no, hay quien es capaz de dormirse sobre una piedra y otros que no pueden conciliar el sueño ni siquiera en las más confortables posiciones y en las situaciones de mayor comodidad. En parte ya hemos examinado e intentado explicar estas características individuales y ahora se trata de comprender la influencia que puede tener el ambiente sobre nuestra capacidad para alcanzar el sueño y lo que puede hacerse para que este ambiente sea el más adecuado para nuestras exigencias.

Lo primero que nos preguntaremos es, si el «dormitorio» ha de ser precisamente como por tradición nos lo imaginamos o bien si no puede ser transformado en cualquier forma o trasladado a otro lugar que nos parezca más apto para un descanso confortable. Si es cierto, como decíamos al principio, que para quien tiene dificultades para lograr dormir, la habitación puede transformarse en una especie de escenario, exclusivamente para dormir, será conveniente en este caso, optar por otra hipótesis «alternativa» respecto al usual dormitorio, buscando soluciones que sólo tengan en cuenta el confort individual.

La cosa, en sí, no es tan obvia y será conveniente poner un ejemplo y dar algunas sugerencias prácticas. Empecemos por la habitación propiamente dicha, o sea las paredes destinadas a contener una cama o varias camas, si la compartís con otras personas. No siempre, y por razones a veces difícilmente comprensibles, la habitación se encuentra orientada hacia el lado de la casa que está considerado el más tranquilo y silencioso. No es raro encontrar pisos donde, inexplicablemente, el dormitorio se halla orientado hacia el Sur (con la consecuencia de tener que soportar veranos sofocantes y noches insomnes) o hacia la calle (soportando el que te desvele el motor de un cuatro cilindros) mientras en el mismo apartamento, tal vez el comedor o la cocina son los lugares más tranquilos y acogedores.

Sería lógico efectuar pequeños traslados, algunos desplazamientos «estratégicos», aunque desgraciadamente, esto no puede efectuarse con frecuencia, debido a que los espacios están concebidos de tal forma que no conceden la mínima posibilidad a estas hipotéticas variaciones. Intentaremos en este caso, encontrar la manera de hacer menos «sonora» la habitación, adoptando algunos sistemas, como los de tapizar las paredes con material aislante de ruidos (telas, libros, paneles, pósters, etc.) colocar en las puertas y ventanas tiritas de aislantes y, para quienes tengan la posibilidad, colocar en las ventanas dobles vidrieras. Realmente no puede decirse que todas sean soluciones económicas, pero ¿qué no haríamos para poder dormir a gusto?

## La cama

Ocupémonos ahora de la cama, verdadero instrumento de suplicio para el insomne, pero insustituible «nido» y acogedor lugar para quienes no tienen problemas con el sueño. Lo primero que hay que tener en cuenta es la construcción del lecho y sus complementos: colchones, almohadas, mantas, sábanas. Tal vez os parezca una descripción excesivamente detallista, pero resultan increíbles la infinidad de elementos que pueden influir, negativa o positivamente sobre el descanso de una persona.

Un lecho viejo o antiguo puede ser una exquisita pieza de mobiliario, pero sus posibles crujidos al mínimo movimiento o el roer de la carcoma, pueden constituir el mayor enemigo del sueño de cualquier persona.

Es por lo tanto conveniente, elegir un mueble sólido y estable, hasta el punto de que pueda considerárselo casi como un componente de la construcción de la habitación: esta «solidez», por sí sola, será capaz de transmitir una sensación de seguridad. La estructura donde se apoye el colchón deberá ser lo más rígida posible, pero ¡cuidado!, siempre de acuerdo con vuestras exigencias. Recordad que es común pensar, que debe de dormirse en un «lecho de plumas», como lo máximo en el confort; además las normas higiénicas aconsejan hacer lo más rígido posible el soporte del colchón (por ejemplo, situando debajo de él una tabla), para evitar malas posiciones de la espalda, la artrosis, la cefalea y otras fastidiosas sensaciones del mismo tipo. El mejor de todos los colchones sigue siendo el clásico colchón de lana que tiene características de forma y de consistencia inimitables; además no tiene tendencia a apartarse del soporte (como es frecuente en los colchones de espuma); tanto en invierno como en verano, mantiene una temperatura ideal y, otro factor muy importante, carece de aquel olor especial que tienen muchos colchones sintéticos. En lo que se refiere a las sábanas, otro de los accesorios importantes, quien desee transcurrir confortables horas de sueño procurará que sean de tela suave, con colores sobrios (ya hablaremos de la importancia de los colores en el sueño) y, obligadamente, de tejidos no sintéticos. Nuestros abuelos, cuando no era aún considerado un lujo, tan sólo empleaban sábanas de hilo; hoy disponer de un ajuar de fresquísimas y fragantes sábanas de lino puro es un «lujo» que pocos pueden permitirse, pero bastará emplear un buen algodón para disponer de sábanas confortables.

Algo más: tened mucho cuidado, al preparar la cama. Eso os evitará, por ejemplo, despertaros de improviso, porque se os han destapado los pies o las sábanas no logran recubrir algunas partes de vuestro cuerpo. No os tapéis demasiado, sobre todo si os véis obligados a mantener las ventanas cerradas, como lamentablemente acaece en casi todas las casas de las ciudades. Sentir excesivo calor por la noche es, una de las peores cosas para quienes padecen de insomnio o para las personas que son nerviosas y agitadas. De forma que es preferible, si no tenéis una inmediata necesidad, mantener al alcance, una manta supletoria, que no meterse en una cama preparada como para una expedición polar, por miedo a sentir frío. Si por el contrario, os encontráis en afortunada situación de poder mantener una ventana abierta, taparos mejor inmediatamente, porque durante la noche descenderá la temperatura tanto del cuerpo como de la habitación y es posible que eso pueda turbar vuestro reposo.

## ¿Almohada sí o almohada no?

Parece una pregunta banal, pero la respuesta puede significar para muchas personas la diferencia entre una noche pasada poco confortable, a veces dolorosa, y una noche de bienestar. No todo el mundo sabe, que la óptima posición de la cabeza durante el sueño es extraordinariamente importante, para no encontrarse continuamente despertado por ligeras molestias y para prevenir los trastornos que se encuentran en el origen de muy fastidiosos dolores de cabeza, que a veces se transforman en muy graves. Hay personas que necesitan dormir con dos o más almohadas. Hay otras, que no soportan la presencia de nada blando ni elevado donde apoyar la cabeza y la higiene da razón a estos últimos. Veamos pues cuándo, cómo y por qué la almohada ha de ser evitada o reducida sus dimensiones para resultar menos perjudicial para nuestro sueño y para el organismo en general. La primera condición que debe de tenerse en cuenta, es la de no usar almohadas excesivamente blandas o de materiales sintéticos (espuma por ejemplo) que no permiten que la cabeza y el cuello asuman una posición fisiológica, caracterizada por la leve hiperextensión de las vértebras cervicales y no, al contrario, por su flexión. En resumen: la almohada debería favorecer la curvatura que normalmente asume el cuello en posición erecta; esto no sólo impide los «aplastamientos» dolorosos de las vértebras, sino favorece también la buena circulación en las vías aéreas, como demuestra el hecho de numerosos casos, quienes roncan, pueden volver a respirar de forma mucho menos ruidosa precisamente, disminuyendo el espesor de la almohada o suprimiéndola totalmente.

Las personas que padecen de la muy extendida y conocida enfermedad «artrosis de las vértebras cervicales», lo primero que deben observar es su forma de apoyar la cabeza en la almohada. Se encuentran en el mercado diferentes tipos de almohada, en forma de pequeños cilindros, que tienen la función de mantener o acentuar la posición fisiológica del cuello. Su empleo está indicado en todas las cefaleas nocturnas, motivo de muchos insomnios, sobre todo cuando se ha comprobado su origen artrósico. Algunos pueblos orientales que desde hace siglos utilizan este tipo de almohadas se encuentran, por regla general, inmunes a estos trastornos citados.

¿Existen situaciones en las que, por el contrario, se encuentre indicada una posición más alta de la cabeza durante el sueño? La respuesta es afirmativa, aunque, en la mayoría de los casos, se trata de condiciones patológicas, caracterizadas por dificultades respiratorias, con frecuencia de origen cardíaco (las llamadas descompensaciones cardiocirculatorias), bastante frecuentes en algunas personas ancianas o en individuos atacados por enfermedades pulmonares, como asma, enfisema, bronconeumonía aguda o crónica, enfermedades donde el reflujo de sangre de los pulmones se halla facilitado por una posición antideclive, que recibe el nombre de *decúbito ortopnoico*.

## Los colores de la noche

La importancia de los colores sobre muchos de los comportamientos y reacciones humanas han sido objeto de múltiples estudios. Es conocido lo mucho que pueden decirnos los colores, por ejemplo, sobre el humor de una persona o, por el contrario, sobre lo que las personas pueden expresar mediante la utilización de un color: desde la pintura al vestuario, de la elección de un determinado objeto o los colores con los que se decora la propia casa.

Lo mismo sucede para el sueño; es conocido que existen tonalidades muy adecuadas para el reposo, mientras otras, resultan más indicadas para las horas de actividad y de desvelo.

Una ciencia, la «cromoterapia» estudia las posibilidades de intervenir sobre determinados trastornos, a través del empleo de los colores; no es este el lugar indicado para profundizar sobre este tema, pero sí el de ver cómo los colores pueden influir sobre la preparación de un buen sueño.

Los colores más indicados para un dormitorio son los que se encuentran en la última parte del espectro. Los colores excesivamente vivos o, por el contrario, excesivamente oscuros no favorecen el descanso. Por otra parte, colores como el azul, en distintas tonalidades, pueden causar depresiones profundas. No se encuentra contraindicado el blanco, siempre que no resulte excesivamente brillante, por lo que resulta preferible una tonalidad marfil; lo mismo puede decirse para el amarillo muy pálido, mejor si tiende al ocre. Sin embargo, el color más indicado para inducir al sueño es el violeta. Ahora bien, no creo que sea realizable, ni en el fondo de gran buen gusto, tener un dormitorio fucsia o violeta pálido, aunque sí resultaría bastante original.

¿Qué solución tomar para evitar tener que pintar toda una habitación? Los expertos en «cromoterapia» aseguran que los efectos benéficos del violeta sobre el sueño, pueden ser obtenidos con un pequeño pedazo de tela de ese color. La forma de utilizarlo es muy sencilla: basta colocarlo bajo la almohada sobre la que reposamos la cabeza y... ¡sueños de oro!

## «Orientar» el sueño

Una vez decidida la situación del dormitorio y su mobiliario y accesorios, el siguiente paso será, decidir la colocación y orientación de la cama. Este detalle tiene gran importancia y no debe ser pasado por alto. Aunque en principio, todos estos detalles puedan parecer excesivos y casi lindantes con la obsesión, podremos darnos cuenta, cada uno por sí mismo, cómo el hábito y la adquisición de un estilo de vida particular, pueden influir de forma muy favorable sobre el reposo nocturno.

Vamos a ocuparnos de la orientación del lecho. Existen pruebas concretas, relativas a la influencia de la posición de la cama respecto a los cuatro puntos cardinales y sus efectos sobre el sueño. Se desconocen los motivos y sus causas pero lo cierto es, que muchas personas duermen muchísimo mejor con la cabeza dirigida hacia el Norte que hacia cualquier otro punto cardinal, mientras otras son objeto de extrañas influencias negativas, si el lecho se encuentra situado en el centro de la pared en lugar de apoyarse a un lado de ella. Se han dado algunas explicaciones, como por ejemplo la existencia de canalizaciones en las paredes de la habitación (especialmente eléctricas) que por su energía «alteran» el reposo. Este es el caso que se encuentra con mayor frecuencia y se soluciona fácilmente. Basta con separar la cama de la pared en la que se cree o se tiene la certeza de que pasa una conducción eléctrica y comprobar si con el cambio, el sueño resulta menos alterado. Resulta mucho más difícil efectuar las pruebas necesarias, para orientar la cabecera de la cama hacia el punto cardinal respecto al cual, el descanso se hace más fácil. Los métodos empíricos adoptados hasta ahora, parecen dar razón a los que tienen la cama orientada hacia el noreste y el noroeste. ¡Proveeros de una brújula y... explorad vuestro dormitorio!

## Las «posiciones» del sueño

Otro hecho conocido hace referencia a las posiciones particulares que cada uno de nosotros, de forma consciente o no, toma antes de dormirse o durante el propio sueño. Hay quien prefiere la posición normal supina o «boca arriba», otros prefieren la posición «prona» (boca abajo) y hay quien no logra conciliar el sueño si no se acuesta sobre uno de los lados, el derecho o el izquierdo.

A la aparente banalidad de estas observaciones, responde de modo muy completo en un estudio efectuado en 1978 por un psicólogo, el profesor Samuel Dunkell, *Las posiciones asumidas por el cuerpo durante el sueño,* que ha encontrado el significado de cada movimiento y actitud del cuerpo durante el reposo. Sin adentrarnos de forma específica en este trabajo, que es muy interesante, resulta curioso saber que estas posiciones pueden interpretarse como una «extensión», es decir, como una continuación de nuestra común y normal forma de actuar, con unas características defensivas mucho más acusadas. En resumen, las posturas que adoptamos durante el sueño pueden interpretarse como mecanismos de defensa. Dice un antiguo proverbio: «El rey duerme supino, el sabio de lado y el rico boca abajo...». Del estudio de Dunkell puede deducirse la siguiente información: existen cuatro posiciones fundamentales:

*Fetal,* con el cuerpo acurrucado sobre sí mismo, demostración de una cierta inseguridad.
*Boca abajo,* que significa «apropiación».
*Supina,* también llamada «real», postura de gran seguridad.

*Semifetal,* con el cuerpo sólo en parte acurrucado sobre un lado, propia de las personas «razonables».

No será difícil para gran número de personas, reconocerse en una de estas «tipologías» del comportamiento, durante el sueño. Es posible proporcionar algunas indicaciones prácticas sobre la posición que debe de adoptarse en la cama. Depende del grado de relajamiento muscular, que pueda obtenerse una vez tendido y de la mínima presencia de estímulos fastidiosos que físicamente puedan advertirse. Se sabe que el mayor relajamiento, es obtenido por la mayoría de las personas en posición supina con los brazos y piernas extendidos y ligeramente flexionados; muchos que no logran dormir «boca arriba» alcanzan idénticos resultados tendiéndose de lado. La experiencia muestra que el mejor lado para iniciar un buen sueño es el derecho, probablemente porque se halla en la parte opuesta al corazón y además facilita el reflujo fisiológico del estómago al duodeno. Esta es una posición en la que no sólo, resulta menos frecuente, desencadenar trastornos relativos al ritmo cardíaco, como las palpitaciones, sino que también ayuda a obtener una digestión correcta. A este respecto es muy conocido el insomnio provocado por la obsesiva escucha del propio ritmo cardíaco, que llega a transmitirse a la misma almohada. La posición sobre el lado derecho puede reducir en forma muy acusada esta «escucha» y, en consecuencia, favorecer el sueño.

# Los «enemigos» del sueño

En general todo el mundo conoce perfectamente, y se halla en situación de prever, con cierta seguridad, cuáles son las situaciones y circunstancias capaces de impedir un sueño normal. Estos «enemigos» del sueño, aunque no siempre puedan ser eliminados, sí pueden ser evitados mediante unas sencillas normas de conducta. Vamos a dar, por lo tanto una especie de «decálogo» relativo a aquello que no debe hacerse y lo que resulta conveniente evitar.

## No ingerir bebidas excitantes ni sustancias de ese tipo

Es un consejo aparentemente banal, pero nunca seguido suficientemente. En realidad existe ignorancia sobre cuáles son las sustancias «excitantes» y, por lo tanto, potencialmente perjudiciales, pese a hallarse ampliamente difundidas y comercializadas. Entre las más comunes y conocidas recordaremos el café y el té. El primero por su elevado contenido en cafeína y otros compuestos que poseen acción excitante, no sólo a nivel físico (es decir, sobre las terminaciones nerviosas y las fibras musculares) sino también a nivel «central» (sobre el cerebro); el segundo porque lo mismo que el café, contiene un elevado porcentaje de «teína», alcaloide que posee los mismos efectos estimulantes sobre el sistema nervioso. En cambio, no todos conocen los efectos paradójicamente excitantes de las infusiones de manzanilla, flor inocua, pero que causa en muchas personas adultas y en muchos niños (sometidos a un tratamiento incorrecto) insomnios muy desagradables. El mismo efecto excitante es propio de algunas conocidísimas bebidas dado que, por razones no completamente justificadas, contienen cafeína y, por lo tanto se comportan como el café.

### Evitar el humo y sus derivados

Puede objetarse que no es cierto que quienes toman café y fuman, incluso en cantidades generalmente consideradas preocupantes, sean todos insomnes. Por el contrario, se citan casos de personas que no logran conciliar el sueño si antes de acostarse no se toman un café o no fuman el último cigarrillo del día. La explicación de este efecto, aparentemente paradójico (como el anteriormente citado de la manzanilla) está en el progresivo «hábito» del organismo o, si se prefiere, en un «envenenamiento», sin las nefastas consecuencias que el mismo envenenamiento provoca en las personas no acostumbradas al café y al humo, hasta el grado que su carencia puede provocar, los mismos síntomas que en otros, produce el exceso.

Puede afirmarse, con absoluta seguridad, que estos casos son verdaderamente raros y nunca han sido demostrados «experimentalmente», de forma que tales excepciones vienen a confirmar la regla de que tanto el humo como los excitantes, como el café, tan sólo pueden alterar el sueño.

Generalmente, los fumadores empedernidos, acusan malestares provocados por esa mala costumbre, especialmente cuando se encuentran acostados y los pulmones intentan liberar (se llama «drenar» las sustancias perjudiciales introducidas por el humo.

Son frecuentes los ataques de tos durante la noche, en las primeras horas de la mañana y al despertar. Esta tos resulta desagradable no sólo para quien la sufre sino también para los que con él conviven o tienen que dormir cerca. No se debe olvidar que la nicotina contenida en el tabaco (y que se aspira a través del humo introduciéndose en los pulmones y, en consecuencia, en todo el torrente circulatorio) es, en sí misma, una sustancia excitante.

## No alimentarse de forma incongruente y desmedida

Para toda persona con problemas de sueño resulta fundamental una correcta higiene alimenticia, que le obligará a ajustarse a determinadas normas sin las cuales sería muy difícil salir de la espiral de sus continuos malestares.

Ante todo, cada uno deberá conocer y respetar sus propios límites, ya sean impuestos por la cantidad de alimentos que debe consumir como por la calidad de los mismos. Quien se obstine en ingerir alimentos excesivamente ricos en grasas o abundantemente especiados, si sufre de una evidente dificultad para elaborar y «digerir» estas sustancias o si prefiere una cocina especialmente salada y picante, cuando su intestino no la tolera o llena su estómago en forma desaforada, ciertamente no puede esperar liberarse de noches ausentes de sueño y sus tormentos, si antes no ha eliminado estos pésimos hábitos.

En segundo lugar, es conveniente, saber que existen, también entre las sustancias alimenticias, algunas con efectos «excitantes» (como también las hay que resultan «sedativas»). En este aspecto deberán ser evitados: especias, chocolate, aves de caza, embutidos, crustáceos y mariscos en general, algunos vegetales como los espárragos, las alcachofas, las espinacas, los tomates.

Tercera y última regla, ya señalada, es la de no tomar exceso de alimentos por la noche y nunca antes de acostarse. En cada caso se valorarán los trastornos de la digestión y las pequeñas incapacidades funcionales del hígado, a través de la atenta observación de un especialista y un control de las funciones intestinales.

## Prescindir de las bebidas alcohólicas

Es bien conocido que las personas que abusan del alcohol se hallan sometidas a notables trastornos en el campo del sueño. Esto puede parecer un poco extraño, desde el momento que una «iconografía» corriente tiende a representar al borracho como favorecido por el sueño, más que como persona en estado de vigilia. Esto nos conduce a asociar la imagen del alcohólico dormido, agarrado a una botella de vino, con la idea de un descanso profundo. Eso incitará a algunos a beber más de la cuenta, a agarrar una «trompa» para alcanzar el sueño, sufriendo en cambio sus nefastas consecuencias. En efecto: no existe idea más errónea que la de considerar el alcohol como una entidad propiciatoria del sueño, por lo menos, del sueño «fisiológico». Se ha demostrado múltiples veces que la somnolencia y el sueño, aparentemente provocados por el alcohol, no pueden compararse en absoluto con las relativas fases características que hemos aprendido a conocer dentro del sueño normal. No es por casualidad que quien ha abusado excesivamente del alcohol se despierte tras la «trompa» con notables dificultades para reanudar de forma normal sus tareas del día; desde el momento que todo aparece envuelto en brumas, las ideas están enturbiadas y el físico ha de soportar distintos malestares, como cefaleas o vértigos, lo que convierte al incauto bebedor en un infeliz autómata.

Puede objetarse que las condiciones a las que nos hemos referido han de considerarse casos extremos, pero tenemos que admitir que aparecen con frecuencia y, como tales, deben servir de advertencia a quienes intentan conseguir el sueño con unas «copitas de más».

## No debe exagerarse la actividad física

Si, como ya expondremos con mayor amplitud, una constante y moderada actividad física puede favorecer y predisponer al sueño, un organismo no entrenado cuya actividad resulta desproporcionada a las efectivas capacidades atléticas del individuo, produce exactamente lo contrario.

Actualmente puede suceder, y es un hecho realmente preocupante, que una persona inicie una actividad física no adecuada, impulsada por la obsesionante propaganda del mito de la eficiencia física y del hallarse «en forma», a cualquier precio, que conduce a excesos más perjudiciales que útiles. Tenemos la prueba en los casos, cada vez más frecuentes, de accidentes cardiocirculatorios (infartos, colapsos, *shock*) causados precisamente por el desarrollo de actividades físicas incongruentes y no controladas. Las consecuencias del cansancio físico también pueden reflejarse en las horas de reposo nocturno.

Son muchos los que han vivido la experiencia de no haber logrado dormir, a causa de un esfuerzo prolongado o de una actividad a la que no se hallaban acostumbrados. Esto no puede considerarse un caso preocupante, sobre todo si se produce esporádicamente, en un joven y de forma casual; pero en cambio habrá de tomarse en mayor consideración cuando sea un adulto quien lo sufra, sobre todo, considerando que su aparato cardiocirculatorio, ya maltratado por los años, se halla sometido a un trabajo «extraordinario», que el organismo no siempre se halla en condiciones de soportar.

## Evitar las situaciones de angustia y stress

No resulta sencillo, en los tiempos actuales, lograr liberarse de continuas preocupaciones, angustias y *stress* y en cambio es obvio que una vida tranquila, sin someterla a continuas convulsiones emotivas, resulta mucho más favorable para alcanzar buenas horas de reposo.

¿Cuántas son las personas que no logran conciliar el sueño, debido a la continua presencia de pensamientos o imágenes angustiosas? Puede afirmarse que la mayor parte de los insomnios (especialmente los más rebeldes) surgen de estos estados de ánimo, que parecen agravarse precisamente durante las horas nocturnas y tienden a perpetuarse en una espiral sin solución aparente.

De tal situación angustiosa, se deriva la necesidad de tener que romper, a cualquier precio, este círculo vicioso, ya sea con un somnífero, un ansiolítico, cualquier otro fármaco o sistema no farmacológico, que pueda detener la marea ascendente de los pensamientos. Los males que pueden derivarse del uso indiscriminado e incondicional de los fármacos, se debe al hecho de que no existe todavía, una sustancia química capaz de «resolver los problemas», sino simples compuestos que, actuando a distintos niveles, sólo logran proporcionar un bienestar temporal, dejando, «para más tarde» la ulterior solución del problema. El empleo del fármaco, en estos casos, es, simplemente «sintomático» (es decir, dirigido hacia la manifestación última y más evidente) y no «causal» (es decir, no trata las causas en la raíz del trastorno). ¿Qué hemos de hacer en este caso? No resulta fácil decirlo, ya que no existe una «receta» válida para todos los casos.

Más adelante hablaremos extensamente, de los fármacos destinados a ayudar a conciliar el sueño y obtener algunas mejoras importantes. Pero la única sugerencia posible, para llegar hasta las «raíces» del problema es la de darse una filosofía personal de la vida, en la que se encuentre el debido espacio para las normales y admisibles preocupaciones, sin «cultivar» angustias cotidianas. Ya sabemos que es más fácil decirlo que realizarlo, sobre todo para aquellos que forman parte de una sociedad industrializada, donde parece que el verdadero significado de la existencia se halle situado en la solución del conflicto entre las ganancias y el consumo de bienes materiales. Una atenta reflexión sobre nuestra forma de entender la relación con el ambiente en que vivimos, nos puede llevar fácilmente a encontrar soluciones y contribuirá a descargarnos de las ansias, evitándonos pasar largas noches con tormentosos pensamientos.

# Los «amigos» del sueño

Individualizadas las causas que pueden conducir a malos hábitos y las formas de prevenirlos, nos resultará ahora más fácil identificar lo que puede ayudarnos a pasar una noche tranquila y relajada. También para los amigos del sueño, es útil, cuanto hemos dicho en la parte introductoria de los factores que ejercen negativamente sobre el descanso fisiológico: es decir, la falta de reglas precisas que ignore el sentido común, más algunas simples sugerencias dadas por la experiencia conseguida en las observaciones sobre el sueño y sus alteraciones. También en este caso proporcionaremos indicaciones de utilidad inmediata.

## Cómo «ordenar» el día

Si aún no se había pensado en ello, es útil reflexionar sobre la organización de la jornada, sobre los propios hábitos cotidianos que hacen más sencillo el explicar el por qué a ciertas personas les es negada la posibilidad de un justo descanso durante la noche.

¿Qué significa esto? Que para cada uno de nosotros no resultará fácil conciliar el sueño, cuando alguno de los problemas laborales o familiares se vayan lentamente acumulando, dejándolos para el día siguiente con las soluciones más urgentes, y de esta forma aumentar hasta lo inverosímil la carga de preocupaciones que, normalmente, soporta sobre sus hombros el hombre moderno. Todos conocen el significado de la frase: «No dejes para mañana lo que puedas hacer hoy». Parece fútil recordar que esto es válido tanto para la persona sobre la que recaen importantes responsabilidades como para la que desempeña los más humildes menesteres.

Algunos autores, especialmente los psicólogos, indican el «remordimiento» como una de las causas desencadenantes del insomnio. Ese remordimiento es el sentimiento que nos advierte que hemos faltado al imperativo moral de comportarnos y actuar de forma «correcta» respecto a ciertas personas o circunstancias, o no haber cumplido con nuestros deberes. Está claro que una persona que no se encuentra en paz consigo misma y con los demás, no puede por menos que advertir, como «remordimiento» las repercusiones negativas de las situaciones, especialmente en aquellos momentos en que el individuo se halla a solas consigo mismo, como sucede durante las horas nocturnas. En efecto, de toda la jornada, el momento más importante es aquél en que «las aguas vuelven a su cauce» (e, inevitablemente, se efectúa un balance mental) y esto suele suceder por la noche.

Este hecho no es conocido exclusivamente en el ambiente religioso, donde se señala un momento de la noche, antes de entregarse al sueño, para hacer un «examen de conciencia», sino también en el de las personas de una determinada sensibilidad.

He aquí el motivo por el que «ordenar» la propia jornada, se convierte en una cuestión de vital importancia, porque ello significa ordenar muchos días, uno tras otro y, consecuentemente, la propia vida. Nadie puede negar que se experimenta una elevada satisfacción, una sensación de serena paz cuando al finalizar el día, el balance indica que se han logrado llevar a feliz término todos los puntos del «programa».

Es entonces cuando el sueño asume, casi en forma simbólica el significado de «justo descanso», de «premio» bien merecido. Pero otras actitudes más prácticas y menos filosóficas pueden caracterizar nuestro día, preludiando un buen sueño, como los hábitos de una alimentación sana y una correcta actividad física.


## Cómo debemos alimentarnos

Consideradas las circunstancias perniciosas y los alimentos «prohibidos» referentes al insomnio, veremos ahora cuáles son los alimentos más aconsejables y la más correcta higiene alimenticia.

Ante todo —y no nos cansaremos de repetirlo— se ha de poner una atención especial a la hora de las comidas. Los pueblos mediterráneos, lo mismo que otras poblaciones del globo, han adoptado hábitos alimenticios muy personales, que no se deben exclusivamente a situaciones climático-ambientales, sino también culturales. Si bien es cierto, que la alimentación mediterránea generalmente se reconoce como una de las menos perjudiciales y de las más indicadas para mantener un cierto estado de bienestar, debemos manifestar que este tipo de alimentación se halla «contaminada» por distintas influencias que pueden convertirla en una costumbre peligrosa. Por ejemplo, el horario destinado a la alimentación, tan exacto durante los primeros años de vida, sufre modificaciones, no siempre justificables, a través de los problemas que plantean los horarios de trabajo u otras especiales circunstancias. Entre los peores hábitos podemos señalar el de hacer una o dos comidas abundantes y desayunar muy ligeramente por la mañana o también el de una rápida y ligera comida al mediodía para cenar abundantemente por la noche.

Todo ello resulta muy curioso. Ante todo, porque, como pueblo mediterráneo deberíamos estar acostumbrados a una buena comida al mediodía y a una modesta cena; segundo, porque no encontramos las razones que pueda tener una cena, tan rica en calorías, cuando el día se acaba y sólo restan horas de descanso y de sueño.

Podríamos añadir algunos datos procedentes de la fisiología, que demuestran que el organismo por la noche no se halla preparado para afrontar ese gravoso trabajo digestivo que le imponen al estómago gran número de personas. Vamos a las indicaciones prácticas que puede deducirse de estas primeras observaciones.

La mañana debe ser afrontada con un desayuno abundante, no exagerado, pero sí adecuado al trabajo que tengamos que desempeñar. Esto vale como «preparación» para la jornada laboral, tanto si la persona ha de desarrollar un trabajo duro bajo el punto de vista físico o su derroche de energías haya de ser psíquico. Respecto a ello, es necesario, desmentir el dicho común, según el cual de buena mañana el estómago no está preparado para acoger un copioso desayuno. Quien tenga dudas, puede intentar comer una manzana pelada como desayuno. Se ha comprobado que esta costumbre ayuda al estómago a liberarse de los alimentos de la noche anterior y lo prepara para la ingestión de otros. Después de la manzana o cualquier otra fruta, puede tomarse un yogurt y una rebanada de pan con mantequilla y miel o mermelada, para acabar con una taza de té ligero o leche. Este es un desayuno mediterráneo, por la sencilla razón que no presupone la adición de otros alimentos, cuyo solo pensamiento provoca el rechazo de muchas personas (como el tocino ahumado, huevos, quesos, etc.) pero que otras poblaciones toman, precisamente, al levantarse.

Una mañana especialmente larga y fatigosa puede «cortarse» con un ligero almuerzo (por ejemplo, pan tostado y queso) evitando en lo posible el clásico café, tan apreciado por muchas personas. Al mediodía es indispensable tomar, como mínimo, un plato caliente: un buen primer plato puede considerarse suficiente, siempre que sea tomado con tranquilidad y sentados a la mesa.

Por la tarde se podrá engañar el hambre, con algo de fruta

(es una buena regla el consumirla lejos o antes de las comidas), o bien un té clarito con una pasta. De esta forma se llegará a la «fatídica» cena con buen apetito, pero no tanto como para transformar a los comensales en fieras hambrientas. Por la noche se dispone de mayor espacio de tiempo; dediquémoslo, a una cena tranquila y completa, pero con alimentos ligeros. Entre ellos podemos indicar: carne sin grasa y blanca (pollo, ternera, rape o pescado blanco), verduras cocidas en su propia agua (coles, acelgas, lechuga, etc.), quesos magros y no fermentados, muchos alimentos «integrales» ricos en vitaminas del grupo B (pan y pastas integrales, cereales) leche y yogurt.

Naturalmente, para quienes tengan graves problemas de sueño, evitarán al final de las comidas tanto el café como el té, pero sí pueden tomar una bebida caliente, en tisana o infusión, que facilitará el sueño, favoreciendo posteriormente la digestión.

Referente a las bebidas ya hemos hablado ampliamente de algunas de ellas, del alcohol y sus efectos perjudiciales, pero no debemos olvidar que un vaso de vino (preferentemetne tinto), sobre todo en la cena puede tener efectos positivos sobre la digestión (naturalmente, para quienes lo soporten) y sobre el sueño.

Un famoso médico de la década de los cincuenta, Gayelord Hauser, concedía gran importancia a la elección de los alimentos y a la alimentación en general, sobre todo en relación con los trastornos del sistema nervioso, casi siempre unidos a dificultades en el sueño. Hauser mantenía, por encima de todo, la necesidad de aportar vitaminas del grupo B y calcio a la dieta diaria, atribuyendo a la carencia de estas sustancias las perturbaciones nerviosas de la mayoría de las personas. A este respecto, ofrecía algunas sugerencias que aún pueden considerarse importantes y válidas, como el añadir levadura de cerveza a muchos alimentos, aumentar considerablemente el consumo de yogurt (¡hasta 1 litro diario!); comer poco y con frecuencia, para evitar bruscos descensos en la cantidad de azúcares en sangre, causantes de debilidades e irritabilidad. En relación a la leche, el médico alemán sugiere una forma de leche «enriquecida» con melaza negra, 1 o 2 pastillas de cal y una cucharada de leche en polvo. Quienes se lamentan de un insomnio causado por el miedo a no poder dormir, pueden recurrir a esta sencilla receta: preparar un vaso de leche enriquecida (leche entera más una cucharada de leche en polvo, más una cucharada de melaza negra) y beberlo lentamente antes de acostarse, acompañándolo con un comprimido de cal. Si tenéis miedo a despertaros durante la noche, dejad otro comprimido de cal en la mesilla, que podréis tomar en caso de necesidad.

### ¿Qué actividad física es la mejor?

La actividad física, llevada de una forma regular es inseparable de una vida higiénicamente sana y de la preparación de un buen sueño. «Regular» significa que debe de estar sabiamente programada y «personalizada» sin excesos y sin períodos de inactividad excesivamente prolongados.

Del *stress* y de las consecuencias de una actividad exagerada ya hemos hablado; se trata ahora de ver las indicaciones que hay que seguir, para que las fases de actividad podamos usarlas ventajosamente y lograr un buen sueño.

Examinando de nuevo nuestra jornada (necesario preludio a nuestras horas de reposo) deberíamos, como mínimo, encontrar dos momentos durante los que nuestra actividad física esté dedicada a una cierta actividad programada. El primero debería ser por la mañana, poco después de levantarse o por la noche antes de la cena, el segundo, por la tarde. La mañana y las últimas horas de la tarde son los mejores momentos para un tipo de actividad «coordinada», como la gimnasia de salón, la gimnasia al aire libre, las carreras, etc. Antes de empezar es conveniente consultar la opinión de un médico que, por conoceros, podrá evaluar vuestras posibilidades, indicar los límites que hayan de respetar, para indicar después los eventuales progresos y alcanzar nuevos niveles. La visita será también muy útil para «redimensionar» las ligerezas de los que se creen capaces de hacerlo todo, incurriendo en riesgos que, con cierta frecuencia, pueden pagarse al precio de la propia vida. Esta actividad coordenada será considerada como la necesaria introducción y el justo mantenimiento del bienestar físico sin el que es impensable el poder afrontar la noche con la necesaria serenidad.

El segundo momento para dedicarlo a la actividad (por la tarde), se ha de observar que existe una indicación exacta, destinada a evitar la costumbre, generalmente injustificada de la «siestecita», hábito que, sin embargo, recientemente ha sido «rehabilitado» por los mismos que fueron sus detractores. La contraindicación al reposo tras la comida se ha de entender como regla válida, sólo para aquellos que presenten claras dificultades digestivas y los que presenten problemas con el sueño nocturno. Las dos indicaciones resultan obvias, y puede ser intuible que el sueño, como ya hemos dicho, no favorezca la digestión, dado que todas las funciones fisiológicas se hacen más lentas durante el reposo. La propia posición tendida puede constituir, en algunos casos, un impedimento mecánico para el reflujo del alimento hacia las partes en declive, de forma que podemos afirmar que la eventual siestecilla es preferible hecha en una butaca. Por otra parte, ciertamente no podemos impedir dormir de día a quien no duerme de noche, pero debe saber que esta costumbre sólo podrá empeorar su insomnio nocturno. Se trata de comprender si los que tienen problemas con el sueño, dan mayor importancia a la suma de las horas que duermen en total (no importa cuándo) o prevalece la necesidad o el deseo de dedicar al sueño sólo las horas nocturnas. A este respecto podemos recordar las costumbres de personajes famosos, como Winston Churchill que, durmiendo escasas horas por la noche, empleaba algunas horas de la tarde para introducirse en pijama bajo las sábanas y dor-

mir a pierna suelta, en forma suplementaria o J. F. Kennedy
que, de igual forma, dormía algunas horas sentado en su famoso balancín. Es evidente que a estos personajes, cualquier actividad después del mediodía no debía de parecerles útil ni ven-
tajosa, pero lo que no podemos decir es, si esta costumbre de dedicar cierto tiempo a la siesta influía de forma negativa sobre su
digestión. Por ejemplo, no puede pasar desapercibido que Chur-
chi: acusaba un exceso de peso, tal vez a causa de aquellas pau-
sas postmeridianas que no permitían que su organismo consumie-
ra todas las calorías ingeridas en la comida. La siesta tras la comida, sólo puede ser indicada, en ausencia de todo trastorno digestivo, para aquellas personas que no logran aumentar de peso, a
pesar de disfrutar de buen apetito y comer bien. En estos casos,
efectivamente, el descanso permite el ahorro de calorías, a favor
de la transformación plástica de los alimentos. En general, sin embargo, como ya hemos dicho, es una buena norma dedicar unos
momentos después de la comida a una pequeña actividad física,
que habrá de tener en cuenta el exceso de trabajo que ya haya
desempeñado el corazón para hacer frente a las demandas cir-
culatorias del estómago y los demás órganos encargados de la
digestión. Será suficiente una buena caminata o un tranquilo
paseo, con frecuentes paradas, apenas aparezcan los primeros
síntomas de fatiga. El reposo nocturno resultará también favorecido si tenemos ocasión de dar un breve paseo poco antes de
acostarnos.


**Otras sugerencias**

Permaneciendo siempre dentro del ámbito de las sugerencias
más conocidas y más sencillas de llevar a la práctica, recordaremos algunas prácticas, escasamente difundidas, pero bastante
interesantes y eficaces, pese a su aparente obviedad. La primera
de ellas es tomar un baño antes de acostarse.

El efecto beneficioso de las abluciones sobre el sueño, es conocido desde hace largo tiempo y la razón debe de buscarse en la generalizada acción sedante y de bienestar que sobre el cuerpo provocan el agua y el calor.

También en este caso han de tenerse en cuenta algunas normas: un baño excesivamente caliente o excesivamente frío, puede tener efectos negativos o, incluso, contrarios y lo mismo que para cada tratamiento curativo, es preciso, «individualizar» y te al agua y elegir la que produzca mayor sensación de bienestar. El mejor consejo que se puede dar respecto a la temperatura del baño, es el de investigar las propias reacciones personales frente al agua y elegir que produzca mayor sensación de bienestar. Por ejemplo, los que tienen la costumbre de lavarse con agua fría o simplemente tibia, probablemente obtendrán gran beneficio de una especie de «ducha escocesa», por regla general estimulante, pero que puede llevar al deseo de sentir la tibieza, que proporcionan las mantas. Recordaremos que, por lo general, la ducha resulta «excitante», respecto a otras formas de baño, y que para los trastornos del sueño resultarán más indicadas otras modalidades como son las abluciones totales o simplemente el empleo de una esponja.

Para los «grandes nerviosos» existe otra forma de bañarse, que consiste en humedecer con agua tibia una sábana, acostarse después de haberse cubierto totalmente con ella y taparse con una manta de lana. Debe permanecerse en esta situación por lo menos durante media hora, después se quitará todo de encima, secándose perfectamente, friccionándose el cuerpo y, finalmente, se acostará para conciliar el sueño.

Un método mucho más sencillo y, para muchas personas, igualmente eficaz, consiste en efectuar un pediluvio, sumergiendo los pies en agua fría (a 34-35 °C) o un baño de asiento, durante un espacio de tiempo de duración no superior a dos o tres minutos. En el agua de estos baños, como en las abluciones totales, pueden ser añadidas sustancias de origen natural, conocidas desde hace mucho tiempo por sus beneficiosos efectos sedantes. Recordaremos algunas que pueden adquirirse en farmacias especializadas o en cualquier herboristería bien surtida.

## Papaver rhoeas

Es un polvo de amapola, que se añade al agua del baño en la proporción de 1 a 2 cucharaditas. Está indicado para cualquier trastorno del sueño de origen nervioso.

## Kalium sulfuratum

Es otro polvo, en esta ocasión de sulfato potásico, que en la proporción de una cucharadita, se añade al agua del baño.

Posteriormente, quien tenga la posibilidad, puede obtener grandes beneficios de los masajes con alguno de los productos de la farmacia naturista, que se encuentran en el mercado. Por regla general se trata de sustancias oleosas y aromáticas.

## Passiflora comp. oleum

Un compuesto a base de *passiflora,* avena, raíz de valeriana y *umulus* es muy indicado para hacer un masaje en el cuerpo después del baño y obtener el merecido descanso. Resulta especialmente útil, en los tipos de insomnio que tienen origen cardíaco (cansancio, palpitaciones, arritmia, etc.).

Pasemos a otra sugerencia, que en realidad corresponde más al tipo de alimentación y que se refiere al ya recordado consumo de leche. Excluyendo las intolerancias individuales, se ha comprobado la eficacia de un vaso de leche natural, tibia o a temperatura ambiente, bebido en el momento de acostarse. La acción específica de la leche sobre el sueño parece estar relacionada con su elevado contenido en un aminoácido (el triptófano) mediador entre las sustancias bioquímicas que favorecen el mecanismo del sueño. El hecho de que un vaso de leche pueda (decimos «pueda» y no «deba») favorecer cierta sedación favorable al sueño, no debe inducirnos a creer que aumentando la cantidad de leche aumente en igual proporción la posibilidad de dormir. Esto no corresponde a la realidad y, por el contrario, podría dar lugar a cietos disturbios digestivos nada favorables al reposo nocturno. Para cada cosa existe una determinada medida y una justa dosis, sobrepasadas las cuales pueden producirse efectos paradójicos o totalmente negativos. Se ha de tener presente que cada método curativo, incluso los más aparentemente inocuos, pueden tener contraindicaciones. Por ejemplo, las abluciones frías de las que hemos hecho mención, deberán ser efectuadas con sumo cuidado por las personas que sufren alteraciones articulares (reumatismo, artrosis), para evitar que la humedad sensibilice posteriormente partes del organismo ya afectas de un proceso morboso. Lo mismo podemos decir referente a la leche, alimento muchas veces insustituible, pero absolutamente contraindicado cuando la intolerancia se manifiesta bajo formas alérgicas (en este caso la alergia también corresponde a todos los derivados de la leche), o en el caso de trastornos intestinales (cólicos espásticos, irritabilidad del colon u otras afecciones intestinales). De todo ello se deduce una vez más que para dormir bien ante todo se precisa gozar de un estado físico excelente, del que se deriva un generador de todo bienestar y una cuidadosa y continua tarea de prevención ante cualquiera de las disfunciones.

# Las terapias

En este capítulo hablaremos de las terapias del insomnio, enten-
diendo con ello que ya no vamos a referirnos a las indicaciones
higiénicas, a las normas de vida, que de todas formas deben de
ser consideradas «terapéuticas» (y son por lo tanto capaces de
curar), sino, en forma particular a aquellas sustancias, farmacológicas o no, a las aplicaciones médicas, físicas, tradicionales o no
tradicionales, a las que se puede recurrir intentando de la mejor
manera, evitar los daños producidos por sus conocidos efectos
colaterales.

Dividiremos la materia en dos partes: una dedicada a los
fármacos y a los sistemas oficialmente aceptados y otra, en la que
se proporcionarán algunas indicaciones relativas a terapias no consideradas «oficiales».

## Los fármacos del sueño

Deseamos que siguiendo nuestros consejos jamás haya de lle-
garse al empleo de sustancias químico-farmacéuticas. No obstante
tenemos el deber de hacer una mención y dar algunas sugerencias
apropiadas sobre su uso y las relativas indicaciones a los productos más frecuentes en el mercado. Es preciso empezar con
una distinción de nomenclatura, para diferenciar los «hipnóticos»,
los «sedantes» y los «ansiolíticos».

79

Todos ellos han de ser considerados como «psicofármacos» en el más amplio sentido de la palabra. O sea: son sustancias capaces de actuar también sobre la mente del individuo y, como tales, capaces de crear «hábito» o, por lo menos, una cierta «tolerancia» que variará en cada persona, alcanzada una determinada dosis. Este es un primer punto de desventaja para estas sustancias, lo que ya nos indica las precauciones que deben ser mantenidas en su utilización. Particularmente los «hipnóticos» son considerados los fármacos más aptos para inducir al sueño; su diferencia con los sedantes y los ansiolíticos estriba en la cantidad de sustancia química necesaria para obtener el mismo efecto hipnótico. Esto significa que un sedante o un ansiolítico logrará primero la finalidad de alcanzar la sedación o tranquilizar un estado angustioso y sucesivamente y sólo a dosis más elevadas podrá inducir al sueño. De acuerdo con algunos estudiosos del sueño, dirigidos por el Dr. Prof. Lugaresi, el hipnótico ideal debería presentar las siguientes características:

— inducir al sueño de forma rápida y mantenerlo,
— no interferir en las fases del sueño, modificándolas,
— mantener inalterado el tiempo de su efecto,
— no reducir la eficiencia psico-física al día siguiente,
— no crear hábito (como una droga),
— no producir ningún síntoma al suspenderlo.

Se comprende que este tipo de fármaco podría ser considerado como «ideal»; desgraciadamente, no existe, aunque nos hayamos aproximado mucho con productos que hoy pueden encontrarse en cualquier farmacia.

Los fármacos inductores del sueño se dividen en tres grandes grupos, que veremos a continuación, sin establecer cuál es su fórmula química ni su nombre comercial, puesto que ello podría inducir a lamentables errores a personas acuciadas por un imperativo deseo de conciliar, a cualquier precio, el sueño. Y el precio podría ser la propia vida, puesto que todos ellos son franca y declaradamente tóxicos empleados en una sobredosis.

Al primer tipo, pertenecen los «sedantes» que aumentan la duración del sueño sin alterar excesivamente la estructura, pero son capaces de una acumulación que pueden provocar excesiva sedación durante los días siguientes a su empleo, creando problemas especialmente a las personas ancianas y a algunos trabajadores cuya tarea exige una constante vigilancia para evitar accidentes. Su condición acumulativa es causa de insomnio al suspender la medicación.

El segundo tipo, el de los llamados «ansiolíticos» son de absorción mucho más lenta, presentan análogas características a los anteriores y se debe recordar que, tanto unos como otros, pueden potenciarse por la asociación con el alcohol, dando origen a gravísimos trastornos.

Tema aparte merecen los barbitúricos, fármacos que se encuentran sin género alguno de duda, entre los más potentes inductores del sueño. Generalmente sólo se emplean bajo un estricto control médico y en circunstancias muy determinadas, en las que se quiera obtener un rápido adormecimiento y un largo período de sueño. El caso más «fisiológico» puede ser el de la preparación para una intervención quirúrgica o para la inducción en las primeras fases de la anestesia. El barbitúrico ha sido durante muchos años el único fármaco capaz de inducir al sueño y no sólo en determinadas patologías. La peligrosidad de esta sustancia se debe a que crea rápidamente hábito y eso significa que para obtener el mismo efecto, es necesario aumentar continuamente la dosis, corriendo el peligro de una precoz intoxicación. Se ha comprobado además, que perturba la estructura del sueño, suprimiendo las características fases REM y, por último, provoca un gravísimo insomnio «de rechazo» a su interrupción y posteriormente sueños angustiosos durante las escasas horas en las que consigue dormir. Resulta innecesario decir que tales remedios deben ser totalmente desaconsejados y poner en guardia contra sus graves peligros.

Como pronto tendremos ocasión de exponer, siempre existen posibilidades terapéuticas «alternativas», válidas y eficaces aun no siendo tan potentes; alternativas que siempre habrán de ser consideradas como una «primera elección» cuando se presente cualquier tipo de insomnio.

Se mantiene en el caso de emergencia en que se haga necesario romper el inicio de una espiral de síntomas que pueden conducir al insomnio patológico; en este caso, el empleo de los hipnóticos debe ajustarse a unas estrictas normas de comportamiento. Una de las más importantes es la de no tomar jamás el somnífero a las 3 o las 4 de la madrugada, porque se sumarían al efecto del fármaco el de la falta del sueño. En la práctica, se traduce con el despertarse más tarde, dormirse por la tarde o la necesidad de ingerir excitantes, para mantenerse despierto durante las horas de actividad, con la consecuencia de que el sueño no podrá llegar a la hora nocturna preestablecida. En caso necesario es preferible esperar a tomar el sedante la noche siguiente, intentando acostarse algún tiempo antes.

**Hierbas medicinales y extractos vegetales**

La farmacopea oficial ya hace mucho tiempo que admitió una serie de extractos vegetales y de hierbas medicinales, reconocidas como terapéuticas válidas, aunque gran parte de la herboristería, tal y como se entiende comúnmente, no es aceptada por la medicina corriente.

El empleo de estas sustancias, aun siendo consideradas, con toda razón, como generalmente inocuas, requiere una atención que no difiere de la que se exige para la ingestión de cualquier otra sustancia medicinal. No se puede olvidar que la moderna farmacología profundiza sus raíces en el estudio de los efectos de las sustancias extraídas de los vegetales y en la posibilidad de obtener los mismos efectos «copiando», en cierto sentido, en el laboratorio las moléculas de la base de dichas sustancias, modificando sucesivamente su estructura para acentuar un efecto terapéutico, en lugar de otro. Muchos de los fármacos todavía empleados en la clínica, como el *estrofanto*, la *digital*, la *ergotamina,* son iguales a las sustancias vegetales de las que se extraen. Las precauciones que se observan en la administración de estas sustancias, deben de hacernos reflexionar sobre cuanto hemos dicho, para evitar caer en lamentables errores. Es por lo tanto obvio deducir que también las sustancias vegetales han de tener sus precisas indicaciones y contraindicaciones y, en consecuencia, sólo deben ser manejadas por expertos. Esto es válido, naturalmente, también para las sustancias vegetales que indicamos como inductoras del sueño.

Muchas son las plantas que la herboristería ha identificado como benéficas conciliadoras del sueño; entre todas y tal vez la más conocida, es la *valeriana.* No menos conocidas e igualmente eficaces son las propiedades de la *pasiflora*, del *tilo,* para no hablar de la archiconocida *manzanilla*, de la que ya hemos indicado algunos de sus paradójicos efectos. No podemos tampoco olvidar que el *opio* y la *morfina,* a los que nos hemos referido en las primeras páginas del texto, sustancias farmacológicas entre las más potentes para provocar sopor y sueño, derivan de una especie de *Papaver* e igualmente la *marihuana* y otras drogas «duras» tiene origen vegetal.

Los extractos de valeriana y de pasiflora, se encuentran frecuentemente en algunos medicamentos, generalmente asociados a otros productos de síntesis o bien pueden encontrarse como gotas o pastillas en el mercado. Es seguramente más aconsejable usar estas sustancias en su forma más pura, disfrutando así de sus efectos sedantes y por lo tanto de su capacidad para producir el sueño. Sin embargo, es preciso insistir en el hecho fundamental, que hay que dirigirse a la farmacia o a herboristerías especializadas que no posean sólo el producto en estado puro, y sean también capaces de proporcionar los consejos necesarios y las indicaciones sobre las dosis y formas de administración. Los extractos vegetales, encontrándose concentrados, son verdaderas sustancias farmacológicas que pueden ser tóxicos si no se ingieren en la forma debida. Aquí tampoco es válida la regla según la cual «mayor cantidad de sustancia = mayor cantidad de sueño». Es más: frecuentemente puede ocurrir lo contrario.

El sistema más seguro y menos arriesgado, si se pretende seguir el sistema de «actúa por tu cuenta» en la terapia del sueño, mediante las hierbas, es ciertamente, la de la preparación de infusiones o tisanas. Por ejemplo, es muy sencilla y eficaz la preparación de la infusión de flores de *tilo,* para la que basta una cucharadita de flores de tilo para cada taza de infusión (en la práctica se prepara como el té). Puede endulzarse con un poco de miel (que ya, por sí misma, tiene propiedades sedantes) y prepararse anticipadamente una cantidad que dure para dos o tres días sucesivos. Basta recalentar cada día la cantidad precisa, llenar una taza y beberla antes de acostarse. Lo mismo podemos hacer, teniendo en cuenta las intolerancias señaladas con la manzanilla. Pasemos ahora a indicar algunas sencillas recetas para la preparación de tisanas sedantes.

La más sencilla, es la que corresponde a una planta muy difundida y que todos conocemos: la lechuga, conocida en términos botánicos como *Latuca sativa.* Se trata de la lechuga común utilizada constantemente para preparar tiernas ensaladas. En nuestro caso deberemos elegir las hojas más frescas y mejor conservadas, que se hervirán en un poco de agua. Cuando las hojas estén bien cocidas se exprimen, y se mezclan el zumo obtenido, al agua de cocción. El líquido puede emplearse para abluciones, baños, o como tisana, después de haberlo endulzado con miel. La tisana puede beberse antes de acostarse, en cantidad moderada (no superior a un vaso lleno).

Otra sencilla receta corresponde al cocimiento de avena (*Ave-*

*na sativa).* La avena contiene un principio activo en parte de efectos excitantes. Es suficiente cocer la avena a una temperatura superior a los 70 °C (lo que se obtiene con una breve ebullición) para que este principio pierda las propiedades excitantes, conservando en cambio, intactas las sedativas. Una forma sencilla de preparar la avena es el conocido por los anglosajones como *porridge*. El *porridge* se encuentra preparado en el mercado y puede tomarse con cualquier líquido caliente; es muy indicado con la leche, por sus ya descritas, propiedades sedantes.

Otra sustancia vegetal, fácil de encontrar, muy sencilla de preparar y deliciosa de tomar, es la malta. En tiempos, aún no muy lejanos, se tomaba en lugar del café, como bebida fortalecedora o para dar sabor a la leche, pero su empleo podemos decir que casi se ha perdido, pese que aún hoy se sirve, como sucedáneo del café en algunos hospitales. Puede prepararse como la infusión de café, usando malta tostada o, sencillamente, diluida en agua o leche, usando algunos productos comerciales que ofrecen malta soluble. La malta, igual que la leche, contiene gran cantidad de *triptofano,* precursor de uno de los principales mediadores del sueño: la *serotonina.*

Y he aquí, para terminar, la receta de dos tisanas (la tisana, a diferencia de la infusión, está formada por varios productos vegetales).

| | |
|---|---|
| Cimas de aspérula olorosa | 20 g |
| Calamenta | 20 g |
| Hojas de menta piperita | 20 g |
| Hojas de melisa | 20 g |
| Serpillo | 20 g |
| Raíz de valeriana | 20 g |
| Flor de espino albar | 10 g |
| Hojas de pasiflora | 10 g |

Bastarán 2 cucharadas llenas de esta mezcla para cada taza

de tisana, debe hervir durante un par de minutos y dejar en infusión durante 5 minutos más. La tisana debe tomarse durante todo el día no solamente por la noche, tomando dos tazas entre las comidas principales y una por la noche, al acostarse. El período óptimo de tratamiento es de ocho días seguidos, pero el efecto podrá ser más eficaz y prolongarse durante mucho más tiempo si se lleva a cabo durante días alternos y con una duración de 2 o 3 semanas.

La segunda tisana que proponemos está indicada en casos de insomnio originados por trastornos digestivos y puede resultar muy eficaz cuando por la noche se ha hecho una comida excesivamente abundante y pesada. La mezcla de productos es la siguiente:

| | |
|---|---|
| Corteza de frángula | 20 g |
| Raíz de angélica | 25 g |
| Hojas de salvia | 25 g |
| Flores de malva | 25 g |
| Semilla de lino | 25 g |

Se hace hervir 1 cucharada abundante de esta mezcla en una taza de agua, durante 2 o 3 minutos. Se deja en reposo durante 10 minutos, tras haberlo mezclado bien, se toma una taza al día antes de acostarse o, si hay necesidad, media hora después de la comida.

# Terapias alternativas

## Los remedios «infinitesimales». Homeopatía y medicina steineriana

Existen dos disciplinas médicas, en cierto modo semejantes, que utilizan para el tratamiento de las enfermedades sustancias procedentes de los tres grandes reinos de la naturaleza (animal, vegetal y mineral), haciéndolas «activas» tras especiales procedimientos de preparación. La base común de estos preparados es el procedimiento llamado de «dilución» de las materias primas, hasta límites hoy difíciles de medir (por este motivo se habla de «diluciones infinitesimales»), lo que hace no sean aceptadas por la ciencia oficial. Existe también otro mecanismo en la base de las preparaciones, que se conoce como «dinamización» de las sustancias, es decir una especie de rítmico *shackerajer* (sacudida) en la última fase de la preparación. Si la medicina tradicional no ha logrado aún hallar una explicación científica para estos resultados (indiscutibles y sorprendentes en algunas ocasiones), eso no justifica el escepticismo con el que generalmente son enfocados por el cuerpo médico o, incluso, la sospecha de fraude que se infunde alrededor de la nulidad de resultados en los casos que normalmente se consideran como «intratables».

La *Homeopatía,* que se basa en el principio hipocrático de la semejanza («el semejante cura lo semejante») y la *medicina steineriana* tienen millones de practicantes y seguidores, que han logrado la curación gracias a los tratamientos inspirados en sus principios. Su empleo se extiende cada vez más, pese a los que se obstinan en desplegar el estandarte de su «carencia de base científica», ya que se trata de remedios inocuos y absolutamente carentes de efectos colaterales perjudiciales. La aplicación de la homeopatía y de la medicina natural steineriana, en el tratamiento de los trastornos del sueño, resulta muy apropiada estando especialmente indicada en aquellos casos expuestos fácilmente a los efectos peligrosos de acostumbrarse a los ansiolíticos, a los hipnóticos o, lo que es aún peor, a los barbitúricos.

Sin pretender adentrarnos en los mecanismos de acción de esta medicación, labor que exigiría un tratado completo, veremos cuáles pueden ser los remedios más indicados para la prevención y la terapia del sueño.


## Homeopatía

Es importante saber que, precisamente por la ley de la semejanza en la que se inspira el médico homeópata, se indicarán remedios conocidos como sustancias capaces de provocar agitación e insomnio. Por eso no debe de extrañarnos que uno de los productos más indicados sea el café. Se trata, en efecto, de un «café homeopático» (que en términos oficiales es denominado *Coffea* y esto significa que el extracto de café, o sea la parte farmacológicamente más eficaz, se encuentra diluida y «dinamizada», hecha inocua y, en nuestro caso, útil para combatir el trastorno que generalmente provoca. Veamos acto seguido las indicaciones de *Coffea*: las diluciones empleadas más frecuentemente y las preferibles en nuestro caso serán la 5CH,[1] la 7CH y la 9CH, según

1. CH significa «dilución centesimal hannhemaniana».

se trate de un trastorno más o menos agudo. Los síntomas que han de ponerse de manifiesto en el insomne sensible a *Coffea* son: hiperactividad mental, hipersensibilidad sensorial, las ideas y los proyectos se amontonan en la mente; palpitaciones.

Parecido en sus síntomas a la *Coffea* es el insomnio que corresponde a otro remedio homeopático: *Gelsemium. Gelsemium* es la flor de la planta del jazmín que se emplea en algunas ocasiones en las infusiones de té. De esta forma pueden explicarse alguna de sus actividades negativas al sueño, por lo que aconsejaremos no emplear infusiones de jazmín a las personas que presentan trastornos tales como crisis depresivas, graves preocupaciones, disgusto y todos los síntomas ya indicados en la *Coffea*. Estos trastornos pueden resultar beneficiados por la administración de *Gelsemium* homeopático, en las diluciones indicadas para el anterior remedio. Además podemos asegurar que el *Gelsemium* es un fármaco más eficaz e indicado para el hombre. En la mujer los mismos síntomas responden más favorablemente a la administración de la *Ignatia* (la *Ignatia amara* de nuestros campos). La experimentación de esta planta sobre personas sanas ha permitido identificar y seleccionar síntomas como depresión, angustia y agitación.

Existe otro remedio homeopático útil para determinados tipos de insomnio, como los causados por costumbres periódicas o relativas a determinados tipos de trabajo (estudiantes en época de exámenes que se acuestan tarde, intelectuales o artistas en un determinado momento de su actividad) e insomnios que tienen la característica de aparecer en el momento de la vuelta a la normalidad. El remedio homeopático más indicado en este caso es el *Cocculus*. En lo que hace referencia a los insomnios causados por el cansancio físico, de los que ya hemos hablado ampliamente, la respuesta de la homeopatía es la de un remedio obtenido de una hierba medicinal: la *Arnica,* que resulta aún más eficaz cuando se asocia al *Gelsemium.*

Estas indicaciones que hemos proporcionado brevemente,

son sólo algunas de las decenas de indicaciones y fármacos que pueden ser prescritos en vuestro caso o en otros determinados. Se comprende que existen centenares de síntomas diferentes en el caso del insomnio, la homeopatía puede proporcionar la medicación más «semejante» para cada uno de ellos. Esto nos obliga a remitir la profundización de la materia a textos especializados (algunos de los cuales están destinados al público profano) donde pueden encontrarse las indicaciones más adecuadas para los diferentes síntomas.

**Medicina steineriana**

No resulta sencillo explicar en pocas palabras la filosofía que se halla en la base de la medicina de R. Steiner. Baste con indicar que se trata de un procedimiento de curación relativamente reciente, aunque se base en antiguos conceptos de medicina naturista, extremadamente rigurosos en la elección de las sustancias primarias y en la preparación de los remedios, para algunos de los cuales, deben seguirse escrupulosamente las indicaciones dadas por el propio Steiner. Respecto a los remedios homeopáticos, los remedios steinerianos presentan diluciones menos exageradas, que entran en el campo de las potencias decimales (o sea, algunas decenas de gotas de disolvente para una gota de sustancia activa que se haya de diluir). La administración también puede efectuarse por vía subcutánea y por inyección. Nosotros indicaremos tan sólo los remedios que se administran por vía oral. Veamos los más utilizados.

*Especies sedativas*

Se trata de un compuesto de diversas sustancias vegetales previamente dosificadas que en la práctica se emplea bajo la forma de tisana o infusión. Las sustancias que aparecen son: flores de lavanda y de malva, raíz de valeriana. El compuesto tiene su indicación precisa en los insomnios y en los trastornos caracterizados por una tos fastidiosa. Se vierte una taza de agua hirviente sobre una cucharada de esta tisana, se endulza y se toma una hora antes de acostarse.

*Avena sativa comp.*

Como en el remedio anterior, aparecen distintas sustancias vegetales (una hierba llamada precisamente *Avena sativa,* la *Coffea,* ya conocida en homeopatía, el *Humulus lupulus,* especie de lúpulo, la hierba pasiflora y la raíz de valeriana). Se encuentra en el mercado bajo forma de gotas. Se administran 30 gotas por la noche, antes de acostarse, diluidas en agua caliente, endulzada con miel.

*Argentum per Bryophyllum*

A diferencia de las dos especialidades precedentemente indicadas, este remedio contiene sustancias minerales preparadas de acuerdo con los principios de la medicina steineriana. Se encuentra bajo forma líquida, en gotas, administrables incluso repetidas veces durante la noche, en dosis de 20 gotas cada vez. Está especialmente indicado en los casos de insomnio, debidos a estados de ansia, angustia, agitaciones provocadas por *shocks* físicos o morales y también en las sencillas reacciones histéricas.

No puede terminarse esta brevísima exposición sobre la medicina homeopática y steineriana sin recomendar a todo aquel que desee aproximarse a uno de los dos métodos, que previamente profundice sus conocimientos al respecto, o, preferentemente, solicite el consejo de algún experto en la materia, farmacéutico o médico. En efecto: la personalización de la terapia exigida por estos dos tipos de medicina no podrá realizarse plenamente, con los consiguientes beneficios, si no se efectúa a través de una observación clínica, para la que sólo un médico se encuentra capacitado. En caso contrario, se podrían crear ilusiones o falsas esperanzas respectos a estos métodos, ciertamente eficaces, pero que no necesariamente y siempre dan los mismos resultados, rápidos y satisfactorios.

# La medicina oriental

Hoy resulta pragmático cuando se habla de tratamientos, impropiamente llamados «alternativos», hacer también referencia a las terapias de los países orientales desde donde nos han llegado informaciones para poner en práctica métodos que, hace sólo pocos años, eran considerados por los médicos no sólo indignos de ser tomados en consideración, sino incluso en el límite de la brujería y el charlatanismo. Hoy la acupuntura está a punto de entrar en muchas universidades de Occidente y otros sistemas de terapia física o respiratoria, como el yoga, ya tienen reconocimiento oficial en el panorama del tratamiento de muchos trastornos.

Es inútil decir que aquí nos resulta imposible enseñar la utilización de la acupuntura o el yoga. Intentaremos en cambio, a través de sugerencias que derivan de estas antiquísimas disciplinas, encontrar algunas sencillas formas de tratamiento, que pueden ser efectuadas por cada uno de nosotros, sin perder sus beneficiosos efectos. Esto puede proporcionar un instrumento más, para experimentar sin riesgos, a quienes pretendan curarse a través de sus propias energías.

## Acupuntura

Podemos imaginar, de una forma aproximativa que la persona insomne, como se dice en la medicina china, sea energéticamente «en exceso». Este exceso de energía se muestra a través de malestares que pueden precisamente, alterar las horas de reposo. En la práctica, la situación corresponde a aquel conjunto de reacciones, que se conocen bajo la denominación de *Yang* (lo contrario es el *Ying,* que corresponde a la variedad de energías, al frío, a la oscuridad, etc.). Esto no significa, sin embargo, que las personas prevalentemente *Ying* no puedan sufrir los mismos trastornos, pero con toda seguridad es la primera categoría la que cuenta con el mayor número de insomnes. Para los principios de la medicina china, los poseedores como decíamos de un exceso de energía, deben ser llevados a una situación de equilibrio energético, reduciendo precisamente ese estado de «plenitud». ¿Cómo? Con las agujas que manos expertas han aprendido a introducir en determinados lugares de la piel. Resulta evidente que esta práctica no está indicada para los profanos; pero el que desee ensayarla puede obtener análogos resultados empleando sus propios dedos. No todo el mundo sabe que los resultados son con frecuencia, iguales a los que se obtienen mediante la acupuntura y que se puede alcanzar, simplemente, con un masaje en determinados puntos de la piel. Se trata de realizar «micromasajes» circulares, en el sentido de las agujas del reloj, para efectuar un aporte de energía o en sentido contrario si deseamos sustraerla; puede emplearse el pulpejo de los dedos o cualquier instrumento no punzante, como una varilla de vidrio, de plástico o la punta de un bolígrafo. Indicaremos ahora cuáles son estas zonas de la piel, sugeriremos tres. Los dos primeros puntos están «especializados» en la reducción de la tensión nerviosa: uno se encuentra en el dorso de la mano (derecha e izquierda) en el ángulo formado por el metacarpo del pulgar y el índice. Para encontrarlo tomad en vuestra mano, la de otra persona, como para estrechársela: la yema del pulgar se apoya exactamente encima. El otro punto es el mismo, correspondiente al pie; se encuentra por lo tanto entre el metatarso del primer dedo (el pulgar del pie) y el segundo dedo. Para tratar estos puntos se partirá de la derecha y del pie, para acabar a la izquierda y en la mano. Para cada punto, primero se ejerce una presión con la uña y después un masaje con la yema en sentido inverso al de las agujas del reloj. El mejor momento del día para efectuar estas maniobras, va de las 17 a las 21 horas. A estos dos puntos podéis añadir un tercero, especialmente indicado para tratar el insomnio, que se encuentra en el segundo dedo del pie (lo mismo el derecho como el izquierdo, al lado del pulgar) y en la parte del tercer dedo, precisamente en el lado del ángulo que forma la uña. Basta aplicar una presión, de aproximadamente un minuto, partiendo siempre de la derecha.

## Auriculoterapia

Un método que deriva directamente de la medicina china, pero que no está basado exactamente en los mismos principios, es la llamada «auriculoterapia». El sistema experimentado y perfeccionado por su descubridor, el médico francés F. Nogier, es de extraordinaria eficacia, especialmente en el tratamiento de afecciones agudas, como los síndromes dolorosos. Puede tener distintas aplicaciones, si lo utilizan personas particularmente expertas, para diversas afecciones, como cualquier otra medicación. Lo que la asemeja a la acupuntura es el empleo de agujas, que pueden ser de distintos metales y que se introducen en la piel. En el caso especial de la auriculoterapia, las agujas sólo se introducen en la oreja, derecha o izquierda, según la importancia de los trastornos. La oreja humana, de acuerdo con los principios del descubridor, puede ser vista como la representación del cuerpo, si nos lo imaginamos como un feto con la cabeza hacia abajo. De esta forma la cabeza corresponde al *lóbulo* de la oreja, la espalda a la parte cartilaginosa y más dura al tacto, que se llama *antehélice,* mientras las extremidades se encuentran encogidas y representadas por la parte superior de la oreja. El *hueco* que precede y acoge el conducto auditivo representaría gran parte de los órganos internos (pulmones, intestinos, hígado, riñones, etcétera).

Resultaría bastante complicado explicar exactamente cómo a través de la punción de determinadas y pequeñísimas zonas del pabellón acústico puede curarse el insomnio. Baste saber que los puntos más favorables para favorecer el sueño mediante la auriculoterapia se encuentran preferentemente en el lóbulo auricular, es decir, donde hemos visto que se proyecta la cabeza, el cerebro y en consecuencia todo el sistema nervioso central.

Como en la acupuntura china, puede efectuarse micromasajes del lóbulo de la oreja (donde, como hemos dicho, existen las representaciones de todo el sistema nervioso), obteniendo un mecanismo de relajación. Para lograr esta finalidad el micromasaje será llevado a cabo con los pulpejos, comprimiendo ligeramente el lóbulo entre el pulgar y el índice y efectuando movimientos circulares contrarios al sentido de las agujas horarias; se ha de tener mucho cuidado en no invertir el sentido, dado que ello produciría una acción «tonificante» y contraria a los efectos deseados sobre el sueño.

Tal vez no resulte inútil repetir que no deben esperarse resultados extraordinarios o, incluso, un «milagro»; pero sí es conveniente tener confianza en el método que funciona, con buenos resultados, de una forma completamente inocua.


## La práctica del yoga

El yoga es conocido por la mayor parte de las personas más como un tipo de gimnasia moderada que no, como realmente es, como una forma de pensamiento, de la que se derivan, también, una serie de ejercicios, especialmente de tipo respiratorio.

*Yoga* significa, literalmente «conjunción». En él existen diferentes ramas, de las cuales la más conocida para nosotros es el

*Hata Yoga,* que se ocupa precisamente de la respiración *(prana-yama)* y de los ejercicios *(asana).*

Entre las prácticas más folcloristas y curiosas transmitidas por la cultura yoga, se encuentra la capacidad que poseen algunos de sus practicantes de alcanzar un completo dominio, casi total, sobre varias funciones orgánicas, comprendido el ritmo cardíaco, hasta lograr reducir el propio metabolismo a límites extremos, pero siempre compatibles con la vida. Se han hecho famosos los experimentos de algunos «faquires» que, literalmente, se han hecho «enterrar en vida», en un estado de semiinconsciencia (autoinducida) y que se han mantenido en una especie de hibernación durante varias horas o, incluso, durante varios días, saliendo después de este estado de sueño artificial con una integridad perfecta. Resulta inútil decir que para muchas personas poder aproximarse, aunque sólo fuese ligeramente a tal nivel de autocontrol, podría significar la solución de todos los problemas relacionados con su incapacidad para dormir de forma regular. Pero también es obvio, que no es necesario imitar a los faquires indios, y con obtener un discreto nivel de control sobre algunas de las funciones de nuestro cuerpo, bastante más sencillas, para utilizarlo como útil instrumento en las situaciones que nos presenten mayores incomodidades.

*Técnicas de relajamiento*

Las técnicas de relajamiento, estrechamente conectadas con el ejercicio del yoga de la respiración, son seguramente uno de los sistemas más útiles para las personas que tienen problemas con el sueño, lo mismo que las técnicas de la meditación, para liberar la mente de todos aquellos mecanismos que la llevan a elaborar pensamientos capaces de alterarla.

Si para la obtención de los mejores resultados es indispensable que estas técnicas sean prescritas y enseñadas por personas ya expertas, puede resultar útil, por lo menos al principio, efectuar algunos ejercicios elementales de relajamiento directamente derivados de la experiencia del yoga y de los que vamos a daros un ejemplo.

Extendeos sobre la cama en posición supina o, cómodamente debajo de las mantas; brazos y piernas deberán estar abandonados a lo largo del cuerpo, procurando que la palma de las manos estén levemente dirigidas hacia arriba. Cerrad lentamente los ojos y observad el ritmo de vuestra respiración hasta que comprobéis que es calmado y regular; llegado este momento, intentad, a cada expiración, relajar totalmente y de forma gradual una pequeña porción de vuestro cuerpo, iniciándolo por los dedos de los pies. Intentaréis después, siempre unido a cada expiración, efectuar el mismo ejercicio, subiendo con calma a los tobillos, las pantorrillas, los muslos y así sucesivamente hasta llegar al cuello y a la cabeza. No os olvidéis apoyar la cabeza en una almohada muy baja o, mejor, sobre el propio colchón. Cuando hayáis alcanzado el estado de total relajamiento muscular y nervioso será el momento más adecuado para liberar la mente de cualquier tipo de pensamiento.

Para la cultura occidental resulta difícil creer que pueda liberarse la mente de cualquier tipo de pensamiento. Este es, sin embargo, un aspecto muy conocido y practicado por la filosofía oriental que, a través de particulares técnicas, enseña precisamente la forma de alcanzar el «vacío mental». En cierto sentido se trata de sustituir el continuo reflujo del pensamiento con estímulos monótonos, pero al mismo tiempo agradables y que puedan ocupar la mente de forma estable, en ausencia de los normales conocimientos.

### Hipnosis. Training autógeno. Meditación trascendental

La *hipnosis* es una práctica conocida desde la antigüedad y, en efecto, ya era usada por los egipcios, griegos y romanos que en estado de trance hipnótico (provocado por humos, vapores y otros estímulos) proporcionaban vaticinios y oráculos. Se dice que también los guerreros normandos conocían la hipnosis, a través de la cual se hacían insensibles al dolor. Pero no fue hasta el siglo xix cuando se hicieron los primeros estudios profundos y las primeras aplicaciones terapéuticas de la hipnosis, que puede definirse como un estado alterado de la conciencia, donde se verifica un sueño incompleto y pasivo (llamado «trance») distinto al sueño normal, que se acompaña de un estado de atención excepcional de la conciencia y de un elevadísimo grado de sugestionabilidad.

Los sistemas para lograr un «trance» son muy variados: se trata de dirigir la conciencia de la persona sobre un sonido, una palabra o un movimiento monótono que permiten distraer la conciencia, preparándola a un verdadero y propio condicionamiento por parte del hipnotizador. Este condicionamiento es facilitado por la sugestionabilidad del individuo. Se dice que todas las personas pueden ser hipnotizadas, pero en realidad existen muchas variantes que dependen precisamente, de lo que hemos definido como el «grado de sugestionabilidad», sin embargo el estado de «trance» se obtiene con más facilidad en las personas muy sugestionables, mientras es mucho más dificultoso en individuos dotados de excesivo autocontrol.

La hipnosis, como tal, puede resultar útil y se emplea con frecuencia como una forma de terapia en diversas situaciones psicológicas caracterizadas por trastornos en el comportamiento y en múltiples formas de neurosis. Cierto es que esta técnica puede, por sí sola favorecer o condicionar también un sueño fisiológico, pero es igualmente obvio que las disponibilidades de un hipnotizador no pueden ser comparadas con la ingestión de un sedante.

Existe no obstante una técnica que permite recrear algunos tipos de condicionamiento sin el auxilio de una segunda persona; esta técnica se conoce como «autohipnosis». En pocas palabras:

se trata de proporcionar a la mente imágenes agradables, asociándolas al relajamiento y al sueño, de forma que permitan evocarlas con estímulos elementales, como pueden ser, por ejemplo, los números.

En la práctica, el ejercicio de repetir muchas veces hasta lograr un verdadero «condicionamiento», consiste en buscar un lugar lo suficientemente tranquilo, donde uno pueda acostarse cómodamente (una cama, una butaquita confortable); con los ojos abiertos se intenta visualizar un número de varias cifras pero fácilmente memorizable (por ejemplo, 1 001) y a continuación nos esforzaremos en repetirlo mentalmente, imaginarlo claramente escrito en una pizarra, etc. Al número imaginado se hacen seguir, siempre con el mismo procedimiento, los números sucesivos (el 1 002, el 1 003 y así sucesivamente) y posteriormente, como en los ejercicios de respiración yoga, debe comprobarse un relajamiento de todo el cuerpo, hasta que los músculos no den la sensación de ser pesados y sean flexibles y elásticos como la goma. Se ha de poner suma atención en los ojos; mientras prosigue la numeración, los ojos que se mantienen en un punto fijo del techo o de las paredes, acusarán el cansancio y los párpados se harán cada vez más pesados. Supongamos que en ese momento hemos llegado al número 1 005; daremos entonces a nuestros ojos la orden de cerrarse y ese número (el 1 005) significará cansancio, sueño. Ya hemos creado, de una forma muy sencilla, un condicionamiento que podrá ayudar, fácilmente, a quienes tengan problemas con el sueño. Para que la mente resulte «condicionada» el ejercicio deberá repetirse varias veces y, además, no debe de sentirse el temor de no volver a despertarse o que no haya nadie capaz de sustraernos al sueño. El ejercicio puede ser perfeccionado y aumentada su dificultad, continuando la numeración y haciendo corresponder a cada nuevo número evocado un condicionamiento positivo, como la imagen de una localidad que nos resulte grata, o una situación especialmente satisfactoria, como un perfume, un sabor, una brisa, etc.

Semejante a los principios de la autohipnosis es el *training autógeno* que, a diferencia de la técnica precedentemente descrita, no está destinado exclusivamente a favorecer el sueño y, sobre todo, no puede conducir a un estado de «trance». Este método, de origen anglosajón, es empleado todavía por algunos terapeutas para el tratamiento de simples trastornos nerviosos, para mejorar la capacidad de relajamiento, pero también para aumentar la concentración y el autocontrol. También en el caso del *training autógeno* se utilizan estímulos especiales, como en la autohipnosis, para obtener condicionamientos. Estos estímulos pueden ser pensamientos de formas en movimiento, objetos, situaciones que evoquen sensaciones de seguridad, de calma, de bienestar, hábilmente sugeridos, en principio por un «instructor», en situaciones recreadas artificialmente; sucesivamente será el propio paciente que, en forma autónoma, sea capaz de evocar los propios estímulos condicionantes, en los momentos de la jornada en que aparezcan las mayores dificultades. Para aprender la técnica existen cursos, durante los cuales los «alumnos» aprenden a usar correctamente y a perfeccionar el método.

Un apartado propio corresponde a la *meditación trascendental,* expresión con la que se indica una metódica especial, elevada al grado de pensamiento, también en gran parte inspirada y derivada de la doctrina yoga.

La meditación trascendental (M.T.) ha sido introducida en Occidente por su creador, el *yogi* hindú Maharishi, en la década de los años sesenta, especialmente en los EE.UU., donde se ha extendido como una mancha de aceite, sobre todo en las universidades y en muchos círculos de cultura. También en Europa, la técnica ha conocido una gran fortuna y en Italia actualmente se encuentran numerosos centros de M.T. Su éxito se debe a la relativa facilidad, con la que se pueden obtener resultados y la indiscutible sencillez del método. Desde el momento que, como otros métodos de concentración y ejercicio mental, las ventajas que presenta se relacionan, sobre todo, sobre las causas de *stress* y neurosis, resulta evidente la utilidad de su aplicación en los trastornos que afectan al sueño que, por lo general, obedecen a las causas antedichas. En la práctica, de acuerdo con los principios de la M.T. se trata de proporcionar a la mente el sonido, la vibración, la palabra más agradable y que mejor se «adapte» a la propia mente. Este sonido, esta palabra, recibe el nombre de *mantra*. Cadad uno tiene su *mantra,* cada uno tiene un sonido que se adapta, se articula, sustituye a su pensamiento para ocupar totalmente el espacio precisamente porque, por su naturaleza, el *mantra* es para la mente, más agradable que cualquier otra forma de pensamiento. Sólo algunos «iniciados» pueden proporcionar a cada persona el propio *mantra,* que es personal y secreto. He aquí porque existen centros en los que se inicia a «meditar» con la guía de «instructores» de M.T.

A diferencia de otros sistemas de meditación que generalmente implican cierto esfuerzo de concentración y especiales condiciones ambientales, la M.T. requiere una «no concentración» que, en cierto sentido, se obtiene dejando fluir el pensamiento al ritmo del *mantra,* hasta lograr un estado de total despegue del propio cuerpo. Además la M.T. puede ser efectuada en cualquier sitio, en un lugar lo suficientemente tranquilo (pero también en medio de la gente), siempre que se disponga de unos minutos al día para poder dedicárselos. Este método tiene indiscutibles efectos sobre el sueño, que se deriva directamente de la adquisición de una elevada tranquilidad interior.

## La musicoterapia

La *musicoterapia* y la *terpsicoterapia* (Terpsicore es la mitológica musa de la danza) son sistemas de fácil aplicación y de reconocida eficacia en muchos trastornos de la conducta. La influencia del ritmo, lo grato del sonido son conocidos desde hace mucho tiempo como instrumentos terapéuticos para quienes se ocupan de tratamientos psicológicos y de comportamiento y su eficacia sobre las horas de reposo es bien conocida. La música, especialmente, estimula las asociaciones de pensamiento y favorece la imaginación. Puede conseguir concentrar de tal forma a quien la escucha que llega a conducirlo a un punto de casi total separación y aislamiento del mundo, incluso haciéndole perder la conciencia de sí mismo. Si consideramos además que el hombre es, junto con otros, un ser esencialmente rítmico, podemos comprender cómo la música y la danza a ella unida, se hallen en condiciones, en cierto aspecto, de llevar al ser humano, a una dimensión cósmica.

Esto, además de favorecer una mayor comprensión de la propia naturaleza, proporciona cierto grado de equilibrio interno, seguramente muy útil para resolver los problemas de insomnio relacionados con determinadas condiciones de *stress* o exceso de fatiga mental.

Recordemos a este respecto una costumbre popular ligada al empleo de la música y conocida por todos como favorecedora del sueño, que es la de las «nanas». Reflexionando un momento sobre esta simple composición musical, podemos constatar que en ella se encuentran todos los ingredientes que anteriormente hemos puesto en evidencia (ritmo particular, sonido agradable y suave, eventual acompañamiento de movimientos rítmicos y monótonos, etc.) y como cada uno de estos factores puede intervenir para condicionar el sueño.

Suele decirse «dejarse acunar por la música», nada más exacto ni más adecuado a lo que se puede considerar casi como una necesidad fisiológica del hombre: la necesidad del ritmo, de sonidos agradables que oculten o hagan olvidar el estrépito cotidiano. Como en otras terapias, también en este caso existen indicaciones personales e individualizables.

De hecho no existe una música que vaya bien para todos los casos, sino una amplia gama de músicas entre las que cada uno podrá encontrar la más adecuada y útil para él. Existen, aunque son poco numerosos, serios profesionales dedicados al campo de la musicoterapia (generalmente empleada en curas de rehabilitación) que pueden sugerir las indicaciones más correctas. Cada uno puede divertirse eligiendo entre la música que prefiere (o la que no prefiere...) la más indicada para proporcionarle un buen sueño.

## La terapia «de comportamiento»

Uno de los métodos más modernos y de mayor éxito en el tratamiento de los insomnios, se refiere a algunos aspectos del comportamiento del individuo y, por lo tanto, de la forma que vive sus trastornos. Este método, que recibe el nombre de terapia de «comportamiento» ha sido apoyado particularmente por el Dr. Hauri, que opina que el que se declara insomne, por lo menos una vez debe probar cómo se desarrolla verdaderamente, una noche «en blanco», de forma tal que pueda tomar buena nota del hecho y juzgarlo objetivamente, como algo que no resulta absolutamente insoportable. De esta forma el paciente se acostumbraría a no tener miedo a su aflicción o, por lo menos, a temerla menos. Veamos, en la práctica, lo que sugiere este psicólogo.

Ante todo, dice Hauri, la persona debe adquirir absoluta y clara conciencia de su trastorno, en este caso, del insomnio. Para ello se la obliga a hacer un cuidadísimo diario de las noches, con las horas de sueño y las horas durante las que permanece despierto, de las acciones que efectúa, de las sustancias hipnóticas o excitantes que consume y de todo aquello que, en definitiva, considera digno de tomar nota. La finalidad estriba en poder «revivir» de forma objetiva, junto al terapeuta, el trastorno en cada una de sus manifestaciones y poder evaluar eventuales mejoras al presentarse las mismas situaciones de inquietud. Esto debería incitar al paciente a poseer un mayor control sobre su sueño y a buscar la curación.

El segundo paso que debe darse, después de convertir en hábito la anotación del diario, será el de reajustar los ritmos sueño-desvelo. El sistema que sugiere Hauri se basa, siguiendo los principios de la terapia de comportamiento, sobre «obligaciones» que debe asumir el paciente respecto al momento de acostarse y de despertarse. En la práctica, la persona afecta de insomnio debe acostarse siempre a la misma hora; pero ante todo debe ser muy riguroso al despertar y deberá suprimir las siestecitas durante el día. Sobre el horario de acostarse, el psicólogo recomienda cierta elasticidad, porque no existe nada peor que pretender dormirse a la fuerza, lo cual ocasiona mantenerse despierto. Se trata de eliminar sucesivamente cualquier sustancia o factor que pueda alterar el sueño, desde el café al alcohol, desde el ruido a la presencia en la misma habitación (o en la propia cama) de un compañero o compañera que «moleste». Las actividades habituales y relativas al trabajo deberán ser interrumpidas mucho antes de acostarse, mientras resultará útil ocupar las horas que preceden al reposo con algo grato y relajante.

Por último, Hauri indica las rígidas reglas que deben seguirse durante la noche:

a) ir a la cama sólo cuando se siente verdadero sueño;
b) levantarse inmediatamente, una vez acostados, si no se logra dormir inmediatamente;
c) está terminantemente prohibido seguir desde la cama programas de televisión, leer, comer;
d) despertarse siempre a la hora previamente fijada y escribir el diario nocturno.

Es conveniente que el paciente, obedezca estas reglas, aunque haya de despertarse docenas de veces durante la noche. Resulta claro que, durante las primeras noches, podrá verse afectado por un insomnio todavía peor que el precedente. Pero resulta seguro, según el Dr. Hauri (y a nosotros nos resulta fácilmente intuible) que el cansancio y el sueño acumulado durante esas noches no tardarán en manifestar sus efectos, permitiendo con mayor facilidad la conciliación del sueño y unas horas dormidas durante la noche, seguramente superior a la normal. Esto aparece todavía más claro examinando el diario nocturno del paciente que, consciente de los resultados, pese al notable esfuerzo, se sentirá con fuerza para proseguir adelante con esta terapia de «comportamiento».

Ciertamente, se trata de un sistema muy aconsejable, puesto que no requiere ningún tratamiento terapéutico especial ni la administración de ningún fármaco, sino cierto empeño, unido a una elevada dosis de buena voluntad.

# El «hipersomnio» y el «ronquido»

Hablando del sueño no se pueden olvidar otros trastornos que, por el contrario a cuanto hasta aquí se ha descrito, derivan o son consecuencia de un exceso de sueño; incluso, como en el caso de la *narcolepsia* provocan un sueño tan profundo, que de ninguna forma puede ser controlable ni previsible. Hablaremos, por lo tanto, de los *hipersomnios,* con una sola mención a los patológicos, para detenernos en cambio, con mayor atención en los excesos de sueño que no son de origen propiamente patológico. Al mismo tiempo describiremos e intentaremos indicar los remedios para un problema, bastante extendido, con frecuencia inocuo, pero a veces tan grave que ha de ser considerado como una verdadera y propia enfermedad: el *roncar.*

## Narcolepsia y cataplexia

Los dos trastornos a los que vamos a referirnos son relativamente semejantes y la diferencia consiste en la forma de manifestarse un mismo tipo de hipersomnio.

La narcolepsia, el trastorno más frecuente, ataca de improviso y en algunas circunstancias «predisponentes» o «favorecedoras», como puede ser el período inmediato a las comidas, la prolongada conducción de un vehículo, un espectáculo. Se manifiesta con un irrefrenable e irresistible ataque soporífero, al

que el sujeto no puede oponerse. Puede resultar bastante semejante a lo que les sucede a muchas personas durante una abu-
rrida conferencia o un espectáculo de escaso interés: la diferencia estriba en el hecho de que el *narcoléptico* no presenta sólo
un vago aire adormilado y aburrido, sino que cae en un verdadero y profundo sueño, del que se despertará sin recordar que
se ha dormido.

La evolución más grave del trastorno es la llamada *cataple-
xia* durante la cual se asiste a una súbita pérdida del tono muscular. Las personas atacadas pueden padecerlo incluso durante el
desarrollo de una actividad intensa, como puede ser una carrera
o cualquier otro deporte. Ninguna de estas alteraciones es sensible a terapias específicas y se cree son de origen hereditario.
La narcolepsia empieza a manifestarse en la adolescencia y, como
gran parte de los síndromes hereditarios, no es susceptible de
aparente curación, aunque puede ser controlada a través del empleo de algunas sustancias farmacológicas, destinadas a aumentar el estado de atención. Estas sustancias, generalmente deriva-
das de las «anfetaminas» ofrecen un acusado grado de toxicidad
y peligro, por lo que sólo pueden ser utilizadas bajo control di-
recto del médico.


## Hipersomnios no patológicos

No debe creerse que es un narcoléptico quien, periódicamente, o
por hábito, advierte cierta somnolencia después de las comidas, sobre todo si éstas han sido copiosas o regadas por abundantes libaciones. Deberá, en cambio, preocuparse de su hígado
y de su digestión, que seguramente se encuentran alterados.

Si de hecho cierta somnolencia tras las comidas puede ser
considerada «fisiológica» (es decir «normal», en relación a las
funciones que el organismo debe poner en acción para hacer
frente a las exigencias de la digestión: hiperflujo de sangre a la

zona esplénica, con la subsiguiente reducción del aflujo al cerebro, etc.), en otros casos será en cambio consecuencia de una ligera insuficiencia hepática, de una deficiencia de enzimas digestivos, de comidas tomadas con excesiva rapidez o una deficiente masticación.

Para evitar estos trastornos, resulta válida la regla general de la prevención, que puede llevarse a cabo a través de una atenta higiene alimenticia, con una cuidadosa selección de los alimentos, y bebidas, que pueden resultar excesivamente «pesados» o difícilmente digeribles. Ya hemos tratado este tema de la alimentación referente a la prevención del insomnio.

Cuando el trastorno ha alcanzado tales niveles de gravedad que requieran una terapia específica, el primer consejo que hay que seguir es el de no creer ciegamente y no confiar en los llamados «extractos hepáticos» o productos a base de enzimas, que no tienen la más mínima eficacia comprobada. La actitud más correcta que se puede tomar, tras consultar al médico (para excluir la posible presencia de patologías más graves) deberá tender hacia una simple educación alimenticia, que se refiere, sobre todo, a la forma de masticar la comida, manteniéndola largo tiempo en la boca, tras una cuidadosa trituración.

El antiguo dicho, de acuerdo con el que «la primera digestión tiene lugar en la boca» contiene una profunda verdad científica. En la correcta masticación de los alimentos y en su contacto con las sustancias enzimáticas, contenidas en la saliva se encuentra el secreto de una buena digestión. Esto es especialmente válido para los hidratos de carbono, sustancias que abundan en nuestra cocina, especialmente rica en pan, pastas y farináceos en general. Para favorecer el proceso digestivo de las otras sustancias indispensables en la dieta (grasas y proteínas), puede en cambio ser útil, ingerir tras las comidas cualquier producto que estimula la secreción de la bilis y facilite su paso al intestino, como los extractos de sustancias naturales, por ejemplo el boldo y la quina.

Para concluir, sólo una referencia a particulares formas de *hipersomnio,* con frecuencia aparentemente ligadas a la alimentación, signo de graves alteraciones metabólicas que han de ser valoradas y tratadas por el médico. Entre éstas, se encuentran la diabetes y la hiperazoemia de la insuficiencia renal, que suelen ser las más frecuentes.

## Se nace roncador

Muchas personas que declaran que duermen mucho y pacíficamente sufren, o hacen sufrir al prójimo, por su forma de respirar durante la noche: un conocido trastorno que se llama «roncar». Normalmente, estas personas son obesas o tienen un excesivo peso y, en general, pertenecen al sexo masculino; pero los roncadores pueden encontrarse indistintamente en personas de ambos sexos, de peso normal e, incluso, entre los niños. Se puede decir que en determinadas condiciones (posición de la cabeza durante el sueño, especial cansancio o debilidad, etc.) todos podemos roncar.

En la práctica se trata de una alteración de la respiración, que se hace especialmente ruidosa y que se explica por el hecho de que durante las horas de sueño, el relajamiento general que invade el organismo afecta también a los tejidos blandos de la parte posterior de la garganta, que tienden a cerrarse, impidiendo que el aire circule libremente. Esto provoca la vibración de estas formaciones, ocasionando el característico sonido que todos, por lo menos una vez en la vida, hemos tenido ocasión de oír.

Hasta aquí, nada malo habría, si nos viéramos obligados a vivir y a dormir con un roncador o una roncadora. Pero recientemente, se ha demostrado que la mayor parte de las personas que roncan sufren trastornos más importantes que pueden originar una molesta somnolencia diurna y llegar a la hipertensión, debido al hecho frecuente de que durante el sueño de quien ronca, se verifican totales detenciones de la respiración *(apnea)*, capaces de provocar alteraciones en la mezcla de aire aspirado, con crisis de carencia o insuficiencia de oxígeno en los centros superiores.

En el caso de que la restricción de las vías respiratorias que provocan la *apnea* sea de tipo mecánico (desviación del tabique nasal, vegetaciones adenoides, amígdalas, etc.), será relativamente fácil, eliminar la causa del trastorno mediante una simple intervención quirúrgica de eliminación o corrección de las estructuras causantes. Aún es más sencillo y decididamente menos traumatizante, la eliminación del trastorno cuando se debe a obesidad, ya que consistirá sencillamente en la eliminación del exceso de peso mediante una dieta adecuada.

Existen no obstante algunas situaciones particulares más difíciles, en las que la gravedad del trastorno y la situación anatómica que lo caracteriza, tiene como única solución una especial intervención quirúrgica, destinada a poner en comunicación directa la tráquea con el exterior, a través de un orificio (la llamada *traqueotomía*). Una intervención aún más delicada es la de la «plástica» de la faringe que, en la práctica, consiste en una reducción y reconstrucción de las partes blandas de la garganta, que se unen durante el sueño. Otros han propuesto hacer respirar a los sujetos de alto riesgo de *apnea* nocturna contra una resistencia o, como se conoce, a «presión positiva continua». Todas estas técnicas son bastante discutibles, pero eficaces.

También deben ser recordados en los casos menos graves, cuál es el papel que desempeñan las distintas posiciones asumidas mientras se duerme. De esta forma se ha demostrado que el 80 % o más de los roncadores presentan este trastorno, cuando duermen en posición supina y un 70 % cuando se hallan tendidos de lado. Sólo un pequeñísimo porcentaje ronca cuando duermen boca abajo.

# Los niños y los trastornos del sueño

El insomnio es otro de los problemas del sueño, no exclusivo de la madurez, puesto que muchos han hecho la experiencia desde niños, sin contar que una de las mayores preocupaciones de los nuevos papás, es la de que su pequeño no se despierte por la noche, víctima de terrores o de unos lloros exasperantes a los que no saben cómo poner remedio.

## El insomnio de la primera edad

Ante todo debe considerarse que el insomnio de los niños y de muchos adolescentes, se halla muchas veces condicionado por problemas familiares, en los cuales, obviamente, se encuentran los padres. Es frecuente, encontrar padres con escasa sensibilidad ante sus hijos pequeños que conviven con ellos, no se dan cuenta de la forma precoz en que el niño desarrolla extraordinarios mecanismos receptivos respecto a los sentimientos y el humor de las personas que los rodean. Es entonces cuando la persona que se ocupa del niño, cree solucionar su turbación ofreciéndoles durante la noche, un sedante, una infusión de manzanilla o un jarabe de valeriana, sin pensar en cambio en las cosas más importantes que se le olvidan: restablecer los contactos, renovar las comunicaciones, representar personas y situaciones clarificadoras, proporcionar la seguridad que pueda devolver una serena lucidez a la turbada mentalidad del niño.

113

Sería verdaderamente muy largo y trabajoso afrontar y analizar tan sólo algunos de los mecanismos que pueden desencadenar situaciones problemáticas y trastornar al niño. Basta pensar en las más que frecuentes desarmonías entre los padres, en los celos infantiles, en los primeros problemas del sexo y de la escuela y en otras muchas circunstancias para cada una de las cuales es indispensable, efectuar particulares tipos de análisis y elegir las soluciones más adecuadas. Aparte de esto es cierto que lo mismo que para el adulto, también para el niño valen las reglas señaladas que corresponden a una justa alimentación, una vida sana e higiénicamente correcta, el respeto y, sobre todo, los ritmos propios de cada época de la vida. Hemos recordado lo didferentes que resultan las necesidades de descanso y de sueño de un recién nacido o un niño respecto a las de una persona adulta y como en el recién nacido, con mayor razón, los ritmos sueño-desvelo tienen una propia y particular cadencia, dictada también por las exigencias de la alimentación que, a su vez, tienen su propio ritmo. Es por este motivo que un recién nacido, os obligará a levantaros durante las horas de la noche o con las primeras luces del alba para su «desayuno» y protestará, con un sonoro llanto hasta que su deseo sea atendido.

### El llanto nocturno del niño

El llanto del niño, ciertamente fastidioso durante el día, lo es más en las horas nocturnas, sobre todo cuando anteriores experiencias nos han demostrado que no bastan, para tranquilizar al niño ni el chupete, ni la mamada o el simple tranquilizador contacto materno.

Lo que en principio puede ayudar a los padres y al pequeño, será aprender a distinguir los distintos tipos de llantos, el mensaje que el recién nacido quiere transmitir. La mayor parte de las veces quiere, como muchas madres han aprendido, que lo acunen o lo mimen. Nada grave hay en ello, pero es un pequeño vicio que si se le otorga con demasiada facilidad y ligereza llegará a repetirse con tal insistencia que acabará convirtiéndose en exasperante e insoportable.

Otras veces, en cambio, el llanto puede significar un trastorno, un pequeño malestar, una situación de incomodidad o fastidio, por ejemplo un exceso de calor o de frío, sed, hambre, dolor, fiebre y otras muchas cosas que, a diferencia de un adulto, un niño sólo puede expresar mediante el llanto. Es inútil decir que es un deber de todos los padres aprender a distinguir estas señales, ayudado por las enseñanzas y las indicaciones que puede proporcionar un buen pediatra.

## Algunas indicaciones terapéuticas

Veamos ahora algunos trastornos del sueño que pueden ser característicos de las primeras épocas de la vida, intentando identificar los remedios más inocuos y «naturales».

En el recién nacido una dificultad para conciliar o mantener el sueño puede ser atribuida, como ya hemos indicado, a causas externas, no siempre de fácil identificación. Algunas experiencias pueden servir de orientación para elegir el mejor camino para eliminar las causas y los trastornos con ellas relacionados. Lo que debe hacerse es bastante sencillo y simple, como por ejemplo, aumentar o disminuir la temperatura de la habitación; tapar más o menos al niño, humidificar el ambiente donde juega y duerme cuando el aire, sobre todo con la calefacción invernal resulte excesivamente seco; considerar la posibilidad de que alguna de las prendas de su vestuario (pañales, bragas, calcetines, etcétera), no estén demasiado apretadas, produciendo excesivas constricciones u otras molestias.

No se ha de pensar que el niño sienta siempre hambre o sed, simplemente porque coge rápidamente el chupete cada vez que, al llorar se le ofrece. Chupar es para el recién nacido un instinto fisiológico y natural, un reflejo que puede despertarse sencillamente estimulando sus labios, independientemente del hambre o la sed. Otra cosa que no debe olvidarse, es que el recién nacido puede ser fácilmente excitable e insomne a causa de lo que la mamá come y transmite a la leche cuando le da el seno. De esta forma una madre, acostumbrada a tomar café y a fumar no puede por menos que proporcionar a su pequeño, un producto alimenticio «envenenado» e «irritante». Lo mismo sucede con la presencia de otras sustancias endógenas, producidas por el propio organismo de la madre en especiales condiciones de *stress,* miedo, preocupaciones, tensión nerviosa que, desde el torrente circulatorio pueden pasar al seno materno.

Todas estas observaciones que parecen realmente obvias, nunca son tenidas suficientemente en cuenta, con el resultado de emplear terapias sedativas que no tienen la más mínima eficacia directa sobre los motivos del insomnio del niño. Está claro que también valen las razones completamente opuestas por lo que si la madre ingiere sedantes o sustancia hipnóticas u otros fármacos con efecto ansiolítico, ello podrá ser la causa de una excesiva sedación y de un hipersomnio en el pequeño.

Si es cierto que a través de la eliminación de éstas que son las causas más simples y evidentes se puede llegar a resolver con mucha frecuencia el insomnio del niño o reducir sus llantos nocturnos, también se presentan casos en los que la situación es más difícil de solucionar y en los que habrá de recurrirse a específicos auxilios terapéuticos.

El temor, totalmente justificado de administrar fármacos o productos químicos perjudiciales para la salud del niño afortunadamente se ha extendido tanto (e, instintivamente, es tan acusado en los padres) que generalmente las mamás llegan a sacrificar muchas de sus noches, acunando amorosamente a su pequeño e intentando, mediante todas las estratagemas, para no administrar al niño productos químicos. Sólo los padres verdaderamente extenuados por la irremediable agitación de sus niños o sus continuados llantos nocturnos, recurren a inocuas infusiones de plantas y vegetales conocidas por sus propiedades sedantes (como la manzanilla, la pasiflora, la valeriana, etc.) y raramente a gotas o preparados de las sustancias que hemos visto en la terapia farmacéutica del insomnio. No volveremos a repetir aquí cuanto hemos dicho sobre la utilización indiscriminada de la herboristería. Recordaremos sólo que las hierbas no deben de ser consideradas como absolutamente inofensivas, sólo debido a su naturaleza y especialmente la manzanilla, para algunos niños, puede resultar tan excitante como el café. Pero volviendo a algunas características del niño y del lactante, que deben considerarse innatos, ya que no dependen de causas externas, habremos de reconocer que existen situaciones que sólo son susceptibles de solución a través del empleo de determinados fármacos.

## La homeopatía en los trastornos del sueño infantil

Puede considerarse que la única solución aceptable, en el aspecto de la inocuidad y eficacia en el empleo de los productos medicinales, es la de la homeopatía.

Ya hemos indicado algunos remedios, que podemos releer, que la farmacopea homeopática sugiere para los adultos; los mismos, ajustando la dosificación y las modalidades de administración de forma oportuna, también pueden resultar útiles para los niños, siempre que no se olvide la «correspondencia» de los síntomas y las leyes de similitud. Los productos, para facilitar su ingestión pueden disolverse en un vaso de agua mineral natural, dándole al niño, cuando sea necesario, una cucharadita de esa mezcla. Recordemos dos remedios muy adecuados para el Jactante: *manzanilla* 4CH, indicada cuando el pequeño está muy agitado, caprichoso, no soporta que lo toquen y no quiere conciliar el sueño.

El segundo remedio es la *Coffea* 4CH; indicado para los niños que se duermen tranquilamente pero que se desvelan con frecuencia sobresaltados, víctimas de una pesadilla.

Referente a las pesadillas nocturnas, una de las causas más frecuentes de aparente insomnio del niño ya destetado, ya no lactante, es el llamado *pavor nocturnus,* terror nocturno, o miedo a la noche. El niño se despierta sobresaltado y, sentado en su camita, grita como presa de un terror invencible; a continuación vuelve a dormirse, por regla general de forma espontánea o tranquilizado por sus padres. Las razones de este fenómeno no son conocidas; no siempre, como se podría pensar pueden identificarse con el contenido de un sueño especialmente terrorífico o pensamientos capaces de producir miedo. No existe ningún remedio específico y el trastorno suele desaparecer con el avance de la edad. La medicina homeopática sugiere en estos casos una medicación obtenida de una hierba alucinógena que en la farmacopea se conoce como *Stramonium.* El *Stramonium* 4CH se administra, antes de dormir, en dosis de tres gránulos que deben ser disueltos en la boca. En la edad pre-escolar y en la escolar puede presentarse otro trastorno que con frecuencia se relaciona con manifestaciones de insomnio y problemas psicológicos de distinta entidad; se trata de la *eneuresis nocturna,* o hábito de mojar la cama durante el sueño, trastorno que se presenta también después de que el niño ha aprendido a controlar los esfínteres y las necesidades fisiológicas.

El trastorno del «pipí en la cama» se manifiesta generalmente durante la primera parte de la noche, cuando el sueño es más profundo y con frecuencia el niño no se da cuenta y continúa durmiendo. Se han indicado los más diversos mecanismos para explicar la aparición y la persistencia de este fastidio que muchas veces se prolonga hasta la edad adulta. Evidentemente existen motivos fisiológicos, pero mucho más importantes parecen ser las causas psicológicas, entre las que destacan, en primer plano, el deseo del niño de atraer sobre sí la atención, de la forma que sea o, por el contrario, un rechazo hacia el ambiente familiar, excesivamente proteccionista y severo. Para solucionarlo se han sugerido muchos métodos, con frecuencia simples, pero pese a ello capaces de lograr buenos resultados: dormir sobre una tabla, no beber nada por lo menos durante una hora antes de acostarse, educar la vejiga a llenarse cada vez un poco más, etc. La homeopatía tiene también sus remedios, entre los que se encuentran: la *Sepia* 5CH, administrada en dosis de tres gránulos antes de acostarse, cuando la enuresis se produce durante el primer sueño. Si en cambio la incontinencia aparece en la segunda parte de la noche se empleará el *Equisetum* 5CH. En los casos más graves los remedios pueden ser alternados con *Plantago* T.M., cinco gotas en un dedo de agua. En casos todavía más graves y persistentes la única solución consistirá en recurrir a la ayuda de un psicoterapeuta.

Para concluir no debemos olvidar que muchos de los trastornos del sueño de los adultos, tienen sus raíces y sus causas en una errónea relación con el reposo y el sueño que los niños aprenden como consecuencia de condicionamientos impuestos por sus padres. Como señala Giovanni María Pace en su libro *Sueño, sueños, insomnio*: «La violación del sueño empieza en la primera infancia, cuando el niño es enviado a «hacer nonas» no porque tenga necesidad, sino porque los padres están cansados. El pequeño de esta forma acaba por dormir, en lugar de los padres, iniciando una relación conflictiva con el descanso que repercutirá en la vida del adulto...».

# CONCLUSIONES

En una antigua inscripción egipcia aparecen los que pueden ser considerados los peores «infiernos» para el hombre y el primero de ellos es: «Tener sueño y no poder dormir».

Si ya en épocas tan remotas existía este malestar y continúa encontrándose tan extendido en nuestros días, ello no significa que el progreso y la investigación científica no hayan logrado evidentes resultados en el campo del insomnio, sino tal vez sea debido a que el sueño presenta aspectos tan impenetrables y tan poco adecuados para una «racionalización», que resultan muy difícilmente encuadrables en la categoría de las normales «funciones» de nuestro organismo. Esto significa que el mecanismo del sueño nunca podrá ser asimilado a otros mecanismos naturales del cuerpo humano, como la digestión, o la secreción de humores, o la respiración, lo que naturalmente hace difícil la búsqueda de la curación de las causas que provocan los trastornos de esta sutilísima función.

Cuando una persona se lamenta de un malestar, la actitud más correcta que puede tomarse a su respecto, antes de aconsejarle una terapia, debería de ser la de intentar «ponernos en su piel» y padecer su enfermedad; operación realmente difícil y, en ocasiones, no exenta de ciertos riesgos para aquellos que no posean una sólida estructura mental. Pero quizá nunca tanto como en estos trastornos más frecuentes y conocidos, sea necesario seguir este procedimiento de «simpatía» hacia la persona afectada, precisamente porque cuanto más conocido y común es el trastorno, con mayor facilidad se tiende a desvirtuarlo y a no concederle la importancia debida.

Esto sucede frecuentemente con el insomnio, tal vez porque mientras muchos de nosotros dormimos en santa paz, un ejército numeroso de insomnes pasa en silencio las horas de la noche conociendo la pesadilla del peor «infierno» de la humanidad.

Los consejos contenidos en este libro no tienen la presunción de aportar una novedad al campo de los intentos llevados a cabo para mejorar el sueño, pero han sido dictados con el espíritu de quien ha procurado «meterse en la piel» de las personas que padecen insomnio. La conclusión es que el dramatismo de éste, como el de cualquier otro trastorno, por lo menos puede ser atenuado, si no vencido, a través de una elección, siempre crítica, de las distintas formas de aliviar nuestros malestares. Entre ellas pueden encontrarse la metódica, la sugerencia y la verdadera terapia que, utilizada en forma correcta, nos acercará a la solución del problema o, por lo menos, nos dará la curiosidad de profundizar en otras técnicas más adecuadas.